Esta colecção visa essencialmente o estudo da evolução do Homem sob os aspectos mais genericamente antropológicos – isto é, a visão do Homem como um ser que se destacou do conjunto da natureza, que soube modelar-se a si próprio, que foi capaz de criar técnicas e artes, sociedades e culturas.

PERSPECTIVAS DO HOMEM

1. *A Construção do Mundo*, Marc Augé (dir.)
2. *Os Domínios do Parentesco*, Marc Augé (dir.)
3. *Antropologia Social*, E. E. Evans-Pritchard
4. *A Antropologia Económica*, François Pouillon (dir.)
5. *O Mito do Eterno Retorno*, Mircea Eliade
6. *Introdução aos Estudos Etno-Antropo--lógicos*, Bernardo Bernardi
7. *Tristes Trópicos*, Claude Lévi-Strauss
8. *Mito e Significado*, Claude Lévi-Strauss
9. *A Ideia de Raça*, Michael Banton
10. *O Homem e o Sagrado*, Roger Callois
11. *Guerra, Religião, Poder*, Pierre Clastres, Alfred Adler e Outros
12. *O Mito e o Homem*, Roger Callois
13. *Antropologia – Ciência das Sociedades Primitivas?*, J. Copans, S. Tornay, M. Godelier e C. Backés-Clement
14. *Horizontes da Antropologia*, Maurice Godelier
15. *Críticas e Políticas da Antropologia*, Jean Copans
16. *O Gesto e a Palavra – I, Técnica e Linguagem*, André Leroi-Gourhan
17. *As Religiões da Pré-História*, André Leroi-Gourhan
18. *O Gesto e a Palavra – II, A Memória e os Ritmos*, André Leroi-Gourhan
19. *Aspectos do Mito*, Mircea Eliade
20. *Evolução e Técnicas – I, O Homem e a Matéria*, André Leroi-Gourhan
21. *Evolução e Técnicas – II, O Meio e as Técnicas*, André Leroi-Gourhan
22. *Os Caçadores da Pré-História*, André Leroi-Gourhan
23. *As Epidemias na História do Homem*, Jacques Ruffié e Jean-Charles Sournia
24. *O Olhar Distanciado*, Claude Lévi-Strauss
25. *Magia, Ciência e Civilização*, J. Bronowski
26. *O Totemismo Hoje*, Claude Lévi-Strauss
27. *A Oleira Ciumenta*, Claude Lévi-Strauss
28. *A Lógica da Escrita e a Organização da Sociedade*, Jack Goody
29. *O Ensaio Sobre a Dádiva*, Marcel Mauss
30. *Magia, Ciência e Religião*, Bronislaw Malinowski
31. *Indivíduo e Poder*, Paul Veyne, Jean Pierre Vernant, Louis Dumont, Paul Ricoeur, François Dolto e Outros
32. *Mitos, Sonhos e Mistérios*, Mircea Eliade
33. *História do Pensamento Antropológico*, E. E. Evans-Pritchard
34. *Origens*, Mircea Eliade
35. *A Diversidade da Antropologia*, Edmund Leach
36. *Estrutura e Função nas Sociedades Primitivas*, A. R. Radcliffe-Brown
37. *Canibais e Reis*, Marvin Harris
38. *História das Religiões*, Maurilio Adriani
39. *Pureza Perigo*, Mary Douglas
40. *Mito e Mitologia*, Walter Burkert
41. *O Sagrado*, Rudolf Otto
42. *Cultura e Comunicação*, Edmund Leach
43. *O Saber dos Antropólogos*, Dan Sperber
44. *A Natureza da Cultura*, A. L. Kroeber
45. *A Imaginação Simbólica*, Gilbert Durand
46. *Animais, Deuses e Homens*, Pierre Levêque
47. *Uma Teoria Científica da Cultura*, Bronislaw Malinowski
48. *Signos, Símbolos e Mitos*, Luc Benoist
49. *Introdução à Antropologia*, Claude Rivière
50. *Esboço de uma Teoria Geral da Magia*, Marcel Mauss
51. *O Enigma da Dádiva*, Maurice Godelier
52. *A Ciência dos Símbolos*, René Alleau
53. *Introdução à Teoria em Antropologia*, Robert Layton
54. *Claude Lévi-Strauss*, Catherine Clément
55. *Comunidades Imaginadas*, Benedict Anderson
56. *A Antropologia*, Marc Augé e Jean-Paul Colleyn
57. *Intimidade Cultural*, Michael Herzfeld
58. *Antropologia das Religiões*, Lionel Obadia

INTRODUÇÃO
À ANTROPOLOGIA

Título original:
Introduction à l'Anthropologie

© Hachette Livre 1995

Tradução: José Francisco Espadeiro Martins

Capa: F.B.A.

Depósito Legal nº 255682/07

Biblioteca Nacional de Portugal - Catalogação na Publicação

RIVIÈRE, Claude

Introdução à antropologia – (Perspectivas
do homem ; 49)
ISBN 978-972-44-1388-4

CDU 39

Impressão e acabamento:
DPS – Digital Printing Services, LDA.
para
EDIÇÕES 70, LDA.
Fevereiro, 2020

ISBN: 978-972-44-1388-4
ISBN da 1ª edição: 972-44-1032-3

Direitos reservados para todos os países de língua portuguesa
por Edições 70

EDIÇÕES 70, Lda.
LEAP CENTER – Espaço Amoreiras
Rua D. João V, n.º 24, 1.0 – 1250-091 Lisboa
Telefs.: 213190240 – Fax: 213190249
e-mail: geral@edicoes70.pt

www.edicoes70.pt

Esta obra está protegida pela lei. Não pode ser reproduzida,
no todo ou em parte, qualquer que seja o modo utilizado,
incluindo fotocópia e xerocópia, sem prévia autorização do Editor.
Qualquer transgressão à lei dos Direitos de Autor será passível
de procedimento judicial.

INTRODUÇÃO À ANTROPOLOGIA
CLAUDE RIVIÈRE

ADVERTÊNCIA: ORIENTAÇÕES DA OBRA

Antes de uma análise mais aprofundada, postulamos como quase equivalentes os termos antropologia e etnologia. Esta introdução apenas conseguirá abarcar as partes essenciais da produção de uma disciplina. Propomo-nos aqui sublinhar assuntos de estudo e categorias de análise, enunciar tentativas de método e de reflexão visando a apreensão dos fenómenos socio--culturais, apontar campos de pesquisa, fragmentos de cultura e debates teóricos, que permitam ulteriores opções e especializações do estudante. Para melhor focalizar o que é importante, vamos excluir temas periféricos, como sejam as ligações da etnologia à arqueologia ou à biologia humana. Acentuaremos as distinções conceptuais e as grelhas de análise úteis ao principiante, embora correndo, por vezes, o risco de que a esquematização prejudique a subtileza da interpretação, ao mesmo tempo que facilita a assimilação da disciplina. A referência aos autores só será activada para as obras fundamentais, a fim de evitar que o estudante se perca num dédalo de nomes, cuja cronologia tem dificuldade em situar, e com os quais, no início, apenas relaciona algumas ideias simplificadas.

Após uma abordagem dos conceitos e dos métodos, vamos traçar um rápido historial das principais correntes teóricas da antropologia e vamos estudar sucessivamente as quatro pedras angulares de todo e qualquer sistema social, a saber: o parentesco, a economia, a política, a religião. O último capítulo será dedicado à actualidade da antropologia. Serão sublinhadas as tendências marcantes das pesquisas efectuadas em diversos países e os objectos da etnologia relacionados com os dinamismos contemporâneos das sociedades europeias e das sociedades do Terceiro Mundo.

1
CONCEITOS E MÉTODOS DA ANTROPOLOGIA

A antropologia tem como postulado a unidade do género humano, o que não significa que se ocupe do homem simplesmente. As sociedades ditas arcaicas ou primitivas, numa linguagem evolucionista, foram os primeiros objectos sociais analisados por especialistas, que as consideravam mais autênticas e mais transparentes do que as sociedades ditas civilizadas, fossem elas rurais ou industriais. A ciência do homem em geral (*antropos*, em grego) aplicou-se, de seguida, à interpretação de todas as diversidades culturais e sociais, pondo em causa as ideias de progresso contínuo da humanidade, de supremacia de uma civilização sobre outra, depois, mais recentemente, propondo o reordenamento das relações interculturais, principalmente na época das descolonizações. Embora a corrente folclorista europeia surja no início do século XX, é sobretudo após a Segunda Guerra Mundial que se desenvolve a aplicação dos métodos da etnologia ao mundo industrial e que a exigência social leva à valorização dos patrimónios culturais, nacionais e locais.

O antropólogo que deseja trabalhar sobre a sua própria sociedade e não sobre sociedades diferentes da sua, deve repensar noções como a distanciação em relação ao outro, tanto mais que as sociedades do Terceiro Mundo, no seu funcionamento económico ou político, tornam-se cada vez mais semelhantes às sociedades europeias, e que o olhar lançado sobre as sociedades industriais retoma, corrigindo-as, as formas de abordagem outrora aplicadas às sociedades exóticas. A modernidade introduz-se nas sociedades tradicionais e, inversamente, as nossas próprias sociedades reinventam tradições. Tal como o saber global do antropólogo vai beber no saber local do autóctone, que aquele formaliza, da mesma forma as sociedades locais procuram cada vez mais conhecer-se a si próprias, graças ao olhar lançado sobre elas pelo antropólogo. Veremos, sobretudo no último capítulo, que a antropologia é uma ciência do que é actual tanto quanto do que é tradicional.

I - Conceitos fundamentais

a) *O outro*

Uma vez que a antropologia estuda as diferenças entre sociedades e culturas, destina a si própria a tarefa de pensar o outro. Esta alteridade, inicialmente, foi concebida como histórica (o primitivo) e como geográfica (fora da Europa), e esquematizada com o auxílio de caricaturas verbais: despotismo oriental, irracionalidade africana, selvajaria índia... arreigadas desde o século XVI. Neste nosso século, contudo, os termos positivo e negativo destes preconceitos conseguiram inverter-se: liberdade, igualdade, fraternidade, parece terem-se concretizado mais do lado dos "bons selvagens", na medida em que a nossa sociedade, considerada alienada, desigual, sociedade da competição e do contra-senso, pareceu repulsiva aos que denunciavam o "etnocídio" e a "des-civilização" sofridos pelo Terceiro Mundo, devido à colonização. Tão exagerados uns como outros, estes pontos de vista não passam de adesões ideológicas, refutadas ou muito marcadas pela análise comparativa refinada do social e do cultural.

O outro não está etiquetado como tal, num quadro necessariamente longínquo. Quando o antropólogo moderno se dedica a estudar uma aldeia rural da Bretanha, uma comunidade de marginais, um bairro de lata ou o bairro asiático de Paris, há uma distância não já geográfica mas sim social e cognitiva, em relação ao seu objecto. Pertencer a uma cultura estudada não é nem uma desvantagem nem uma necessidade para o antropólogo, o importante é possuir a bagagem teórica e metodológica que lhe permita uma distanciação científica, quando estuda os Bororos ou os Provençais, os Zulos da África do Sul ou os "zulos" de uma banda de rappers. O olhar que se lança sobre o outro implica o estabelecimento de relações e tem como consequência um melhor conhecimento de si mesmo e da sua própria cultura, por comparação.

A distinção entre eu e o outro, eles e nós, é proposta apenas com uma finalidade heurística, quer dizer, de pesquisa e não para reforçar tipos ideais, muitas vezes opostos em pares: primitivo/civilizado, sociedades tradicionais/sociedades racionais, comunidade/sociedade.

b) *O etnocentrismo*

Falar dos outros não é falar nas costas dos outros nem contra eles. Nada difícil, no entanto, atendendo ao etnocentrismo natural a todo o ser humano, seja ele Indiano ou Árabe, Francês ou Lapão! Cada um deles, pela língua, pelo aspecto, pela maneira de viver, identifica-se com uma comunidade cujos valores assimilou. Todos têm a tendência para rejeitar, criticar ou desvalorizar os que não são como ele. Quando da descoberta da América, os Espanhóis recusaram inicialmente aos Índios o carácter de humanidade, por vezes para justificar a escravatura; por outro lado, os Índios mataram Espanhóis para comprovar que eles eram mortais. Os Bantos dizem ser "os homens".

O etnocentrismo, de que o etnólogo procura livrar-se, é a atitude que consiste em julgar as formas morais, religiosas e sociais de outras comunidades de acordo com as nossas próprias normas, e, portanto, em considerar as suas diferenças como uma anomalia. Já alguma vez provou lagartas grelhadas, para dizer que não presta? Tal como os Franceses chamam aos Italianos *macaronis*, os Ingleses tratam os Franceses por *froggies*, ou seja, "comedores de rãs". Achamos natural dormir deitados; o pastor massai, do Quénia ou da Tanzânia, dorme de pé, apoiado na sua vara. É o etnocentrismo que encobre o orgulho local, o espírito de corpo dos estudantes ou dos empregados de uma grande empresa, a intolerância religiosa... e está presente até nos conflitos internacionais, sob formas de expressão perigosas para a ordem social.

O exotismo, como culto pelo pitoresco, visando reter tudo o que é curioso e bizarro nos outros, pode transformar-se em etnocentrismo, quando é acompanhado por uma atitude desvalorizadora a respeito dos outros e em racismo quando produz rejeição e hostilidade. Quando L. Lévy-Bruhl opõe a mentalidade pré-lógica à mentalidade lógica, dá provas de etnocentrismo, da mesma maneira que R. Lowie, aliás um excelente antropólogo, quando tenta reduzir os regimes de parentesco e de casamento a variantes da família monogâmica. O etnólogo deve sempre evitar a tentação de reduzir o pensamento de outrem às suas próprias grelhas de interpretação, tanto quanto a de se considerar superior àqueles que analisa.

c) *A etnia*

Não é impossível que a própria ideia de etnologia possa conduzir sub-repticiamente à depreciação do seu objecto, na medida em que será aplicada a grupos de homens unidos num sistema que não é o nosso, mesmo que tenha sido o dos Gregos, dos Francos, dos Visigodos, dos Tártaros ou dos Chechenos.

A etnia define-se geralmente como uma população (*etnos* significa povo, em grego), que adopta um etnónimo e que reclama uma mesma origem, possuindo uma tradição cultural comum, especificada por uma consciência de pertença a um grupo, cuja unidade se apoia em geral numa língua, numa história e num território idênticos. Mesmo assim, cada um destes critérios precisa de ser ponderado. O etnónimo pode ter resultado de um reagrupamento efectuado por necessidades da administração colonial. O nome pelo qual um grupo se designa, valorizando-se, pode diferir daquele que os vizinhos utilizam para o designar. Em muitas etnias, de grandeza variável, de entre as doze mil que se arrolaram em todo o mundo, a unidade foi reconstruída miticamente e as tradições locais propagaram mitos respeitantes tanto às cisões como às fusões, após conquista, migração, federação, aliança. Por vezes, as pessoas de uma etnia dominada adoptaram a língua do seu dominador. O mesmo território pode ser partilhado por diversas etnias e a mesma etnia pode encontrar-se em territórios muito afastados por exemplo, Arménios na Ásia e Fulas em África. Visto que a história oral esteve sujeita a manipulações, aquilo que especifica a etnia como tal é a identificação dos elementos com determinada etnia e o seu sentimento de parentela bilateral (lado do pai e lado da mãe).

Na realidade, foi uma concepção da etnia, própria do século XIX, que levou à construção da etnologia como ciência das etnias. Contudo, reconhecendo que as sociedades que estudaremos não são apenas etnias, daremos preferência ao termo antropologia.

d) *Etnologia e antropologia*

O facto de a mesma disciplina se chamar etnografia, etnologia, antropologia social ou cultural explica-se por ligeiras diferenças de conteúdo, de objecto, de método e de orientações teóricas, muitas vezes próprias das tradições nacionais, embora se possam também ver nisso momentos sucessivos do trabalho antropológico. A etnografia é a etapa de recolha dos dados, a etnologia a fase das primeiras sínteses, a antropologia a fase das generalizações teóricas, após a comparação. Na realidade, esta distinção, embora não seja de todo aceitável, acentua, entretanto, algumas tendências.

A etnografia corresponde a um trabalho descritivo de observação e de escrita, comportando a recolha de dados e de documentos e a sua primeira descrição empírica (grafia), sob a forma de registo dos factos humanos, traduções, classificação dos elementos que se consideram pertinentes para a compreensão de uma sociedade ou de uma instituição. Abre o caminho a monografias sobre diversos aspectos desta sociedade. Uma monografia pode muito bem tratar tanto de uma etnia da Oceânia como de uma aldeia europeia, de uma festa regional como dos *tifosi* no futebol italiano. Descrição, inventariação, classificação dos costumes e tradições exóticas ou populares são também tarefas efectuadas pelos museógrafos.

A etnologia, ao elaborar os materiais fornecidos pela etnografia, visa, após análise e interpretação, construir modelos e estudar as suas propriedades formais a um nível de síntese teórica, tornado possível pela análise comparativa. Fala-se de etnografia de uma aldeia, mas de etnologia dos países mediterrânicos para designar um conjunto de trabalhos. A palavra etnologia, introduzida pelo moralista suíço Chavannes, em 1787 (a palavra etnografia [1810] é atribuída ao historiador alemão B. C. Niebuhr), abarcava, no século XIX, o estudo das sociedades primitivas, particularmente do homem fóssil e o da classificação das raças.

A antropologia quer ser ainda mais generalizadora do que a etnologia. J.Copans vê-a: 1) como um conjunto de ideias teóricas, referidas aos homens e às suas obras, aos precursores, contraditores e sucessores, conduzindo debates de ideias sobre os agrupamentos humanos e as suas culturas; 2) como tradição intelectual e ideológica, própria de uma disciplina que tem uma forma de apreensão do mundo; 3) como prática institucional definindo os seus objectivos, os seus objectos, as suas ideias; 4) como método e prática de campo.

A antropologia social, incluída na antropologia geral, estabelece as leis da vida em sociedade, especialmente sob o ângulo do funcionamento das instituições sociais, como a família e o parentesco, classes etárias, organização política, formas de procedimento legal...

A antropologia cultural, nascida nos Estados Unidos com

F. Boas, é uma diligência específica no interior de uma disciplina. Diz respeito ao relativismo cultural, e parte das técnicas, dos objectos, dos traços de comportamento para conseguir sintetizar a actividade social. É atribuída importância aos traços culturais e aos fenómenos de transmissão da cultura.

O termo etnologia continua a estar em voga, embora haja tendência para o substituir pelo de antropologia social e cultural; são os qualificativos que diferenciam esta disciplina da antropologia filosófica, discurso abstracto sobre o homem, e da antropologia física, que tem por objecto o estudo biológico e físico das características de raça, de hereditariedade, de nutrição, de sexo, e que compreende a anatomia, a fisiologia e a patologia comparada.

A ligação do homem e da história com a filosofia permitiu desenvolver rapidamente o estatuto teórico da etnologia, e o vínculo deste à acção (mesmo colonial: conhecer os povos estrangeiros, para agir sobre eles) foi uma condição da vitalidade da disciplina, especialmente quando os etnólogos foram render os exploradores, administradores e missionários.

e) *Objecto e atitude da antropologia*

A antropologia tem como objecto unidades sociais coerentes e de fraca amplitude que ou constituem uma amostra representativa da sociedade global que se deseja apreender (o estudo da vida quotidiana de, por exemplo, uma aldeia) ou então têm uma situação original pela sua subcultura específica. A atitude consiste em extrapolar o global a partir do local, mediante a apreensão das relações interindividuais e institucionais, dos princípios de organização e de produção, dos valores que dirigem a vida comunitária. Na falta de temas exóticos, muitos antropólogos modernos descobrem actualmente locais de insularidade no coração dos seus países, quer na cidade moderna, quer nos refúgios das tradições, tanto mais que muitas comunidades locais procuram valorizar cada vez mais o seu património etnológico e histórico.

A propósito das sociedades que estuda, o antropólogo faz perguntas do género: qual é a natureza e a origem dos costumes e das instituições? De que forma é que o indivíduo vive a sua cultura? De que significados se revestem, entre grupos afins, as diferenças sociais e culturais?

O ponto de vista comparativo permanece, pois, sempre em plano posterior, quando se procuram semelhanças e diferenças entre grupos humanos, quando se acentuam as clivagens entre homens e mulheres, novos e velhos, dirigentes e dirigidos no interior de um grupo, ou então quando se confrontam em espelho as antropologias de dois países.

Preocupada com a totalidade, a antropologia estuda o homem sob todas as dimensões, mostrando como, no interior daquilo a que Marcel Mauss chama o fenómeno social total, os elementos de uma economia, por exemplo, só podem ser entendidos e explicados se forem relacionados com fenómenos políticos, religiosos, parentais, técnicos, estéticos. Cada elemento isolado ganha significado a partir do conjunto cultural e social em que está inserido. O mesmo conjunto social pode também ser captado por outras disciplinas, com as quais a antropologia entra em complementaridade.

II - RELAÇÕES ENTRE DISCIPLINAS AFINS

a) *Antropologia e sociologia*

A antropologia constituiu-se em estreita relação com a sua irmã quase gémea, a sociologia. No século XIX, a necessidade de reorganização social, após as revoluções política e industrial, origina o nascimento da sociologia. Pouco depois, o interesse romântico pelo exótico, o desejo kantiano de criar uma antropologia de orientação filosófica e o projecto colonial, convergem para a fundação da etnologia.

Esta tem por padrinhos a história natural e o espírito de antiquário; quanto à sociologia, enraíza no reformismo social e na filosofia. O pensamento reflexivo (pesquisas classificativas, esquemas de evolução, valorização dos tipos como raças e etnias) apoia a acção de reforma social e visa "civilizar" os assim chamados primitivos.

Embora as primeiras investigações de Bachofen, Tylor, Morgan, nos anos 1860-1870, sejam contemporâneas das de Le Play, Marx, Spencer, Espinas, a etnologia e a sociologia afirmam-se diferentes devido ao seu campo de investigação. Para a primeira: as sociedades relativamente homogéneas e de pequena escala, sem história conhecida, ditas primitivas, tradicionais, sem escrita; para a outra: as sociedades complexas, heterogéneas, de grande profundidade histórica, ditas civilizadas, industrializadas, letradas, modernas. O objecto do sociólogo aparece menos distante e mais visível do que o do etnólogo, e a sociologia escolhe como método preferido a amostragem sobre um vasto conjunto, enquanto a etnologia prefere elaborar inventários descritivos completos das culturas de pequena dimensão.

Na realidade, porém, as duas ciências humanas caminham a par, seguindo sucessivamente a via dos grandes frescos históricos, depois a da paciente acumulação de documentos. Permanecem ligadas às teorias e às políticas da sua época, encontram perspectivas comuns (organização, instituição, integração, adaptação), constroem-se através de diligências bastante semelhantes de comparação e de crítica metodológica e epistemológica. O interesse dos sociólogos e dos etnólogos converge, a partir de agora, sobre a pesquisa das estruturas e funções sociais e sobre uma análise da dinâmica das sociedades actuais. No início dos anos cinquenta, enquanto os antropólogos começam a dedicar-se ao estudo das sociedades complexas (redes políticas na Índia, parentesco americano, economia informal), os sociólogos, por seu turno, debruçam-se sobre os aspectos simbólicos do comportamento, sobre as micro-relações de ordem ritual, jurídica e cultural e adaptam os seus métodos de forma a abordarem o político, o económico, o cultural em todas as sociedades do Terceiro Mundo.

b) *Antropologia e história*

Não há qualquer dúvida de que a história, como discurso de formalização da temporalidade escorado na história como sucessão dos acontecimentos, não possui um passado anterior ao mundo grego. Perante ela, a antropologia tem o aspecto de uma recém-chegada, esclarecida sobre o exotismo pelo Iluminismo e que, desde há século e meio, analisa principalmente as instituições dos "selvagens". No último quartel do século XIX, sociólogos e antropólogos empenham-se em pôr em evidência relações estáveis, que possam tomar a forma de "leis" de estrutura ou de evolução, à semelhança das ciências naturais. Quanto aos historiadores, por seu lado, trabalham nessa época sobre a cronologia, a individualidade e o fenómeno político. Consideram os acontecimentos como únicos e contingentes, até ao momento em que se instala um debate, no início deste século, entre historiadores sociologistas e historiadores historicistas (Simiand contra Seignobos).

Nos anos trinta, a antropologia funcionalista marcará o seu território metodológico – observação, inquérito oral...–, enquanto os historiadores trabalham a partir de fontes escritas. Para uma análise das sociedades pretensamente arcaicas, considerará mesmo inútil a abordagem pelo lado da sua história, a pretexto de que esta não passa de conjecturas, de que o fenómeno social se basta a si mesmo como sistema e que não se deve sacrificar a ordem cultural à ordem histórica.

Quando Lévy-Strauss, em 1958, distingue entre sociedades frias, "que se esforçam por esterilizar no seu seio o devir histórico" e sociedades quentes, que produzem uma história "termodinâmica" e acumulativa, acentua a diferença primitivo/civilizado, no momento em que os movimentos de independência agitam a geografia e a história política e o Terceiro Mundo se torna mais quente do que a Europa.

Uma vez que a historicidade é inerente ao social, convém não forçar a oposição entre, por um lado, a etnologia, caracterizada pela oralidade, a espacialidade, a alteridade, o inconsciente, e, por outro, a história, delimitada pela escrita, a temporalidade, a identidade e a consciência. As clivagens herdadas do passado tornam-se caducas à medida que a etno-história elabora a história das sociedades que eram ditas sem história, à medida que a história do Ocidente é tratada sob o ângulo antropológico e que estuda a vida colectiva e não apenas os altos feitos e os grandes homens, as sociedades de Estado e as classes dominantes. Embora a etnologia se proponha ser generalizante e comparativa em relação a uma etnografia preferentemente descritiva, a história conceptualizante e comparativa distancia-se também, face a uma história-narração factual.

A partir de agora, a etno-história, elaborada inicialmente para conhecer o passado dos Índios da América, particularmente nos Estados asteca e inca, graças aos códices pré-coloniais, às crónicas espanholas e aos arquivos notariais, paroquiais, judiciários, etc., combina as técnicas dos historiadores e as dos antropólogos. Relaciona o passado e o presente, examinando os valores e a linguagem de um grupo visto de dentro. Utiliza métodos de investigação das tradições orais, perscruta a memória de sociedades e tenta estabelecer cronologias. Investigadores africanistas como J. Vansina, C. H. Perrot, E. Terray, M. Izard casam as duas competências: a do historiador e a do etnólogo.

Há cerca de trinta anos que a antropologia histórica também se tem desenvolvido fortemente. Em França, a escola dos *Annales*, interessada no quotidiano e nas transformações ocorridas a longo prazo, orientou os historiadores para o terreno, a micro-história e as estruturas sociais. Temas caros aos antropólogos, como o quotidiano, o corpo, as técnicas, os mitos, o parentesco, acabaram por se tornar temas caros também aos historiadores, que se interessam por *A Família e o Parentesco no Ocidente Medieval* (Colóquio de Paris), pelas relações entre *Mito e Sociedade na Grécia Antiga* (J.-P. Vernant), por *Montaillou*, *aldeia ocitana, de 1294 a 1324* (E. Leroy-Ladurie*). Antropólogos e historiadores trabalham de braço dado num campo de actividade comum, embora com diferenças nas heranças, nas aprendizagens, nas carreiras e na textura da profissão.

c) *Rumo a uma etnolinguística*

Tal como o termo etno-história, também o termo etnolinguística marca bem a ligação entre duas disciplinas afins. A língua, no século XIX, não deixa de ser apreendida simultaneamente como instituição social e tesouro de uma civilização. Elemento essencial da tradição, tem a sua vida própria dos pontos de vista fonológico (os sons), sintáctico (construção da frase), semântico (sentido das palavras)..., como escreveu F. de Saussure (falecido em 1913), o primeiro a entender a língua como um sistema de relações interdependentes e a dar à linguística a sua autonomia. Entre os discípulos de Saussure, esta linguística torna-se estrutural quando se considera a língua como um código e um produto do espírito humano (ponto de vista que influencia Lévy-Strauss), ou então generativa, quando se encara a língua como um conjunto de regras de produção de frases.

No entanto, formas e regras são menos de considerar, pensam F.Boas e o seu discípulo E. Sapir, do que a influência de uma língua sobre o pensamento de um povo e sobre a sua visão do mundo. Desta corrente de antropologia linguística, conjugada com o estudo das condições sociais da variação das línguas e com as pesquisas centradas sobre as estratégias do discurso para a produção de sentido, nascem as diversas tendências da etnolinguística contemporânea, que coloca as questões do relacionamento entre língua e cultura a partir de inquéritos de campo, dos efeitos de sentido no discurso, estudados a partir de léxicos, classificações, literatura oral (G. Calame Griaule), das relações entre

---

* Publicado em 1984 por Edições 70 com o título *Montaillou, Cátaros e Católicos numa aldeia francesa –1294-1324*; e que será reeditado, numa edição revista e aumentada, no início do ano 2000, com o título *Montaillou, cátaros e católicos numa aldeia ocitana, de 1294 a 1324*, com prefácio do Autor (N. do E.)

a língua e a estrutura social (E. Benveniste, A. Haudricourt). As questões importantes são as seguintes: como é que os falantes representam a sua língua e que lugar tem ela em determinada cultura? Há elementos fonéticos que se alteram de uma subcultura para outra. A linguagem do burguês não é a do carroceiro. Matizes diferenciados aqui linguisticamente são designados noutro local pelo mesmo termo. Entre os Bambaras do Mali, a palavra vermelho inclui também o violeta. Noutros sítios, vermelho, alaranjado e amarelo são designados pela mesma palavra "claro", preto e azul por "escuro". Os Euas do Togo, tem até como cor o sarapintado. É possível que duas línguas coabitem na mesma cultura; assim, ao lado do coreano popular, a língua chinesa continua a ser língua de prestígio entre as classes de élite coreanas. Se a língua não possui escrita, como na maioria dos povos negros da África, então desenvolve-se a memória como paliativo e a tendência para memorizar.

d) *Outras afinidades e especializações*

Foi graças ao desenvolvimento simultâneo dos métodos de muitas outras ciências como a demografia, a tecnologia, a genética, a geografia, e graças aos pesquisadores de campo, que se aperfeiçoaram os dispositivos de investigação (cartografia, estatística, fichas museográficas, pesquisas com o carbono 14). Nesta breve enumeração de algumas ciências afins, seria injusto omitir os contributos da arqueologia e da pré-história como ciências do passado. As técnicas de percussão na pedra lascada ou polida, os vestígios do homem de Neandertal ou de Cro-Magnon, "a guerra do fogo", evocada por Y. Coppens, a olaria babilónica, a moldagem dos objectos de bronze, o tesouro de Tutancámon, o cinzelado das jóias merovíngias, constituem outros tantos testemunhos da vida de sociedades que nos precederam.

Não falaremos dos contributos da psicologia e da psicanálise, que projectam, cada uma delas, um tipo de iluminação

notável sobre os factos sociais. As relações interdisciplinares são tão necessárias à antropologia como as especializações:
1) as especificações externas, nos confins de outras disciplinas: etnobotânica, etnozoologia, etnomusicologia;
2) as especificações internas: antropologia política, económica, religiosa ou do parentesco;
3) as especializações regionais: africanismo, oceanismo, americanismo, europeísmo...;
4) as especializações de escola: em função de teorias e de temáticas privilegiadas em determinada época, em determinado país (Vd. capítulo 2).

III - A ARTE E O MÉTODO

a) *A aventura etnológica no terreno*

Embora o etnólogo que trabalha na Europa não sinta o exílio dos etnólogos de antigamente, não será descabido evocar a parte de aventura que, durante muito tempo, as pesquisas no terreno comportavam. Quer se leia Leiris, Lévi-Strauss, Balandier ou Condominas, as autobiografias do seu viver aventuroso, escritas como contraponto aos trabalhos de pesquisa, mostram que o gosto pela amplidão, um fascínio de juventude, uma narrativa de missionário, ou a existência de um tio madeireiro no Gabão, pôde servir de pretexto para a partida de espíritos amadurecidos, não necessariamente incomodados na sua própria sociedade, mas ávidos, por vezes, de experiências desconcertantes e da revelação de si em circunstâncias inéditas.

Sucedendo às curiosidades de Montaigne e de todos os exploradores, comerciantes e missionários, o desterro a que a etnologia pode conduzir implica a saída da sua própria civilização para enfrentar outras. O exílio cultural predispõe para a tolerância, para a rejeição de preconceitos ligados ao seu meio, à sua classe, à sua formação e liberta do etnocentrismo graças a um afastamento do sistema, que ajuda a comparar e a exercer a sua faculdade crítica.

Mas a iniciação ao exótico pressupõe uma certa ascese para viver em sociedades menos atulhadas do que as nossas de produções materiais complexas, mas não isentas de perigo e de desconforto: águas poluídas, paludismo, veículos atascados, roubo de objectos, animais perigosos, W.C. a céu aberto..., embora as sociedades outrora tradicionais tenham assumido parcialmente certas fachadas modernas. Seja qual for a exaltação de um regresso provisório a uma forma mais rudimentar de existência, existe incómodo no abandono dos artifícios e na renúncia aos atributos materiais da nossa civilização.

O que se pode tornar mais pesado de assumir na aventura etnológica no estrangeiro é ser visto como objecto exótico, centro de conversa e de cobiça; é estar só perante uma população que espia os nossos comportamentos, os objectos de que dispomos, que significam riqueza para gente desprovida deles. Desde o primeiro contacto, pesa uma suspeição sobre todos os nossos actos. Donde vem ele? Que vem ele cá fazer? Será um infiel, que não acredita no Islão? Será que faz parte do aparelho administrativo? Esta atitude de suspeita é a resposta à atitude indiscreta do etnólogo, que vem mendigar informações e, pela sua simples presença, vem perturbar a vida de um grupo, com o objectivo de revelar depois a outros o que ali se passa.

A qualidade da observação participante é o mimetismo: fazer como os outros, para os levar a esquecer o mais possível a sua diferença, ao mesmo tempo que se tenta comunicar, graças à aquisição de elementos da língua da terra e à expressão de calor humano. Partilhar a vida quotidiana do observado, os seus trabalhos, as suas conversas, as suas festas, impõe-se a todo aquele que deseja apreender a sua visão do universo, captar as motivações dos seus actos e compreender o seu sistema de valores. Esta atitude comporta riscos, por exemplo, o de, após a primeira embriaguez, ser ridicularizado pelos novos amigos, o de perder a confiança de uma facção da aldeia se conviver mais com um clã que a primeira julga inimigo, o de não conseguir recuo suficiente para compreender um grupo onde se incorporou demasiado.

Apesar destes inconvenientes, todo o desterro é factor de uma dinâmica pessoal e toda a incursão pelo exótico é instrutiva. É claro que, sem que o deseje, o etnólogo, pela sua presença, arrisca-se a modificar, pouco que seja, os factos que pretende abordar, mas o diálogo com pessoas diferentes também modifica o próprio etnólogo.

Pode acontecer que alguns, tendo enfatizado demasiado o desterro, a expatriação, fiquem decepcionados por encontrar noutros sítios comportamentos semelhantes aos do cidadão europeu e, nos campos africanos, os mesmos ciúmes, antagonismos e desonestidades que na sua própria terra. Por todo o lado, o modernismo vive na vizinhança da miséria e da vilania; e o ofício de etnólogo pode ser exercido com a mesma paixão tanto na moderna urbanização como na aldeia mais remota.

Tomemos como dado adquirido que o etnólogo não é testemunha de uma presença que se apaga, nem é só o recuperador das coisas da vida rural: objectos da vida quotidiana, saberes, apetrechos e produtos do trabalho, *habitats* e sítios, arte popular, música e história oral; ele pode, igualmente, aplicar a sua análise às coisas da vida moderna e urbana numa antropologia do trabalho, da comida, do desporto, dos lazeres, etc.

b) *A observação participante*
Embora a observação não seja uma técnica de investigação verdadeiramente codificável por ser artesanal, ela é, no entanto, a mais exigente. A dificuldade resulta da posição do observador num espaço determinado, com uma perspectiva limitada, tendo um determinado estatuto no sistema e sendo ele próprio nó de interacções. Algumas distinções e questionários clarificarão o problema, embora todas estas formas de observação sejam utilizadas pelo mesmo investigador num momento ou noutro.

- Pode tratar-se de observação interna (auto-observação ou observação do seu próprio grupo), ou então de observação externa (observação de um grupo exterior).
- A observação simples utiliza apenas os nossos sentidos; a observação equipada faz-se com gravador de som, máquina de filmar, fita-métrica, máquina fotográfica...
- A observação contínua, por um investigador presente no terreno durante várias semanas; difere da observação descontínua de uma reunião, de uma manifestação.
- Em diversos graus, a observação pode ser descomprometida ou participativa, declarada ou clandestina.
- Distinguem-se também a observação descritiva – relativamente passiva, própria do etnólogo – da observação que tem como finalidade conseguir um diagnóstico para guiar a acção, caso do agente de desenvolvimento local.

Sob a forma de conselhos ao observador, a seguir esquematizamos as regras gerais da observação:

1) *Personalidade e competência do observador*: além do rigor e da precisão requeridas para um trabalho exaustivo, são-lhe necessárias intuição, imaginação e uma certa empatia, que consiste em tentar pensar e sentir como as pessoas que analisa.

2) *Necessidade de aprendizagem*: a aprendizagem incide ao mesmo tempo sobre a capacidade para desvendar os problemas e os comportamentos significativos, sobre a exactidão das anotações e sobre o desenvolvimento da memória. É necessário treinar-se no estabelecimento de categorias, no conhecimento dos sistemas de fichas e métodos de classificação. O etnólogo deverá trabalhar previamente as técnicas de tomada de notas, para coligir o máximo de elementos, distinguindo os factos observados e as anotações por eles sugeridas.

3) *Procedimento*: depois de estar familiarizado com o objectivo da pesquisa e de ter memorizado uma lista de controlo dos elementos que se propõe observar, tomará as suas notas, quer em cima do acontecimento, na medida em que as circunstâncias o permitirem, quer o mais depressa possível, sem dar tempo a

esquecer os pormenores e indicando as suas próprias acções de observador, que podem modificar a situação devido à sua presença.

4) *Conteúdo*: as fichas deverão incluir a data, a hora, a duração da observação, o local exacto (mapas, fotografias, esboços), as circunstâncias, as pessoas presentes e o seu papel, a aparelhagem e o equipamento utilizados, os aspectos eventualmente influentes do ambiente físico (temperatura, iluminação, ruídos). Conversas e diálogos deverão ser relatados ou resumidos em estilo directo. Opiniões e observações serão anotadas à parte, no diário da investigação.

5) *Elaboração do relatório*: logo que seja possível, faz-se a revisão das notas tomadas, para eventualmente as corrigir ou completar. Deverá proceder-se a uma classificação provisória com numeração cronológica, marcação das rubricas, classificação por sistemas de fichas manuseáveis. Obter-se-á assim uma documentação concreta sobre os aspectos de uma cultura de que se terão relatado os elementos imponderáveis e até anedóticos, que pertencem a um determinado contexto de expressão e que permitem caracterizar uma tradição ou avaliar uma dinâmica.

c) *O inquérito por informadores*

A observação não seria suficiente sem conversações junto de informadores classificados.

1) *Os investigadores*: o etnólogo pode certamente trabalhar sozinho, mas muitas vezes encontrará na proximidade do seu terreno um linguista, um médico, um tecnólogo, um historiador das religiões, a quem poderá solicitar o alargamento da sua rede de informação. Nos inquéritos de desenvolvimento, vários investigadores trabalham com os mesmos objectivos com utensílios diferentes - os do economista, os do agrónomo, os do sociólogo, por exemplo. Inquiridores locais, particularmente honestos, competentes e perspicazes, conhecendo a língua do país, podem servir de intermediários com a população visada.

2) *Os informadores*: se não forem impostos pelas circunstâncias ou pela autoridade local, como frequentemente acontece, serão escolhidos em função do seu saber, identificando-se as suas pertenças e o ajustamento dos subgrupos de que fazem parte: família, profissão, idade, culto. É bom avaliá-los em função da diversidade das competências: ancião, chefe, dignitário religioso, professor primário, jovem aculturado dinâmico; em função da diversidade das origens: lugar, família, determinados textos orais que podem ser propriedade de um recitador ou de um feiticeiro; em função da diversidade de caracteres: tagarela, meditativo, falador de dia ou de noite.

Há que desconfiar daquele que poderá mentir por venalidade, prazer, receio dos seus ou dos deuses. O não-letrado não está isento de respeito humano ou de tabus. O evoluído compõe uma personagem e ignora com frequência as tradições ou despreza os irmãos. O desleixado dá informações aparentemente coerentes, mas que podem ocultar o essencial.

3) *As informações*: obtêm-se no momento da observação, por exemplo, da construção de uma casa, pedindo explicações, ou então através de conversas privadas, ou num círculo de discussão com diversos interlocutores. Quer se trate de interrogatório metódico ou de conversa não dirigida, dever-se-á estar atento à ordenação dos discursos, aos interesses do inquirido, às suas curiosidades e dissimulações, ao cotejo com aquilo que outros disseram. As biografias de informadores, as genealogias, os orçamentos, os recenseamentos de bairros..., obtêm-se por inquérito, mas não se omitirá a recolha de conversas do dia-a-dia, nem o registo de qualquer coisa que diga respeito à personalidade do informador.

4) *Os documentos*: além dos documentos puramente verbais, incluindo os léxicos, nomenclaturas, contas..., o inquiridor utiliza os documentos materiais e todas as formas de gravação dos factos humanos, tais como desenhos, pinturas, objectos de arte ou de culto, cartografia, fotografia, filme, canção, fita audio ou video, sem esquecer a documentação escrita proveniente quer da

imprensa, quer de fontes privadas (biografias escritas, diários de missão, arquivos de organização...), quer de fonte pública (minutas de julgamentos, arquivos nacionais, dados estatísticos de ordem fiscal ou hospitalar, etc.). Resta-lhe produzir uma crítica dos testemunhos e uma crítica da origem, da integridade e do significado do documento, como fazem os historiadores.

Nas obras de metodologia das ciências sociais poderá encontrar-se um estudo das diferentes etapas do inquérito. Terminado este, importa proceder ao inventário e à análise.

d) *A interpretação dos resultados*

Entre a utilização dos métodos e a exposição monográfica, situa-se um momento capital, o da interpretação dos resultados, que supõe a construção de hipóteses e a administração da prova. Não será demasiado insistir na necessidade de uma bagagem teórica e metodológica, se se quiser adaptar o próprio ponto de vista a outro diferente do do ingénuo que acredita na transparência do social e no saber imediato. Mesmo com uma longa formação, o doutorando tropeça ao nível da explicação. Muitas vezes contenta-se em confirmar as interpretações com exemplos adequados, o que é tanto mais fácil quanto a hipótese e o exemplo são vagos. Há hipóteses que funcionam sempre, porque elas não ensinam grande coisa e são compatíveis com grande número de dados; escapam a qualquer tentativa de prova (recurso à noção de identidade, categoria do rito de passagem). A permanência de um facto não constitui uma explicação, mas sim um facto a explicar. Um simbolismo universal não passa de uma muleta para erguer, digamos, um enigma. As séries indefinidas de comparações nada provam, quando se tem por referência um conjunto cultural homogéneo. Evidentemente, importa não ocultar os documentos incómodos e os casos de figura que invalidam a hipótese, embora se possa deixar um mínimo de resíduos por explicar.

Censura-se ao etnólogo ou de interpretar demasiado, de sobreinterpretar, de impor um sentido, ou então, pelo contrário, de não interpretar o suficiente, de descrever simplesmente factos verificados empiricamente, sem referências às suas causas e condições. Efectivamente, a interpretação etnológica deve ultrapassar, e até contradizer, a interpretação indígena, ou pelo menos, reconstrui-la em outras redes semânticas.

e) *A monografia*

A maior parte das vezes, uma investigação antropológica termina pela redacção de uma monografia, em que se expõem os seus resultados. Nascida em sociologia por meados do século XIX, com os trabalhos de Le Play sobre os orçamentos familiares e o operário europeu, este género foi adoptado pela maioria dos antropólogos de campo, principalmente depois de, em 1874, ter sido elaborado pela Royal Anthropological Institute, em *Notes and Queries on Anthropology* [Notas e Inquéritos em Antropologia], um modelo de inquérito que serviu de plano-catálogo para cobrir sistematicamente e de forma ordenada o conjunto das instituições e traços de cultura de uma sociedade particular: ambiente físico, língua, *habitat*, economia, organização social, organização política, leis, religião, folclore, mudanças. Uma monografia total deste tipo pretende dizer tudo sobre uma etnia ou sobre um grupo humano, ordenando os factos desde o ecológico até ao espiritual. Mas acontece que pode faltar-lhe uma problemática abertamente definida e, portanto, preocupações teóricas, o que bloqueia as categorias do observador, em vez de analisar as categorias indígenas. Exige também do investigador uma competência total, difícil de atingir. Às grandes monografias são preferidas, cada vez mais, quer as monografias de aldeias, de bairro urbano, de famílias, servindo de modelos reduzidos de um grupo mais alargado (tais como *Chanzeaux, village d' Anjou*, do Americano L. Wylie, ou *Os Filhos de Sanchez*, de O. Lewis), quer as monografias orientadas por um fenómeno que permite agrupar à sua volta os principais aspectos da vida de uma sociedade. Em *Os Argonautas do Pacífico Ocidental*, Malinowski descreve-nos magistralmente a vida dos Trobriandeses da Oceânia em redor das expedições da *kula* (de que voltaremos a falar). Evans-Pritchard centra a sua pesquisa no pastoralismo dos Nueres do Sudão. Meillassoux descreve os Guros da Costa do Marfim a partir da sua antropologia económica.

Elaboram-se também monografias temáticas, portanto, parciais, que adquirem valor comparativo quando são colectivas e quando analisam o mesmo fenómeno; por exemplo, o sacrifício na África negra, entre povos diferentes, sob ângulos diferentes, com diferentes investigadores, ainda que, por vezes, se corra o risco de não conseguir uma perspectiva comum.

Uma monografia deve idealmente ser descritiva e explicativa, única e comparável, atingindo o singular e o geral. Embora, durante muito tempo, se tenha dedicado a estudos monográficos locais, a etnologia não está vocacionada para o micro-social, uma vez que qualquer monografia deixa subentender ramificações, relações globalizantes, relações sociais e culturais em vasta escala. As melhores monografias e os melhores trabalhos antropológicos serão dados a conhecer na breve história da disciplina apresentada no capítulo seguinte.

2
AS CORRENTES FUNDAMENTAIS DO PENSAMENTO ETNOLÓGICO

O passado remoto da etnologia

O facto de, há séculos, se manifestar uma certa curiosidade, por vezes timidamente, valha a verdade, a respeito de sociedades diferentes da nossa, tomada como ponto absoluto de referência, não significa que a etnologia como ciência tenha o mesmo passado que a história escrita. Nascida, de facto, por volta de 1860, a etnologia reivindica, no entanto, precursores e, sobretudo nos últimos trinta anos, procura reconstruir o seu passado anterior.

Ao Grego Heródoto (séc.V a.C.) tem sido atribuído o papel mítico de herói fundador da história, da geografia comparada e da etnologia; após diversas viagens, demonstra que a organização social dos Egípcios é entendida em ligação com a religião, que a dos bárbaros (não-Gregos) é dominada pela instituição da realeza, ao passo que os Gregos vivem em cidades governadas pela lei. Da mesma forma que Tácito, na sua qualidade de historiador romano (séc.I d.C.), fala dos costumes dos Germanos e dos Anglos, diversos cronistas chineses, persas, indianos, mas sobretudo árabes, relatam as suas viagens ao mundo medieval, nomeadamente ao mundo africano no que respeita aos Árabes: Gana do século XI (Al Bekri), Mali do século XIV (Ibn Battuta), mundo islâmico do século XV (Ibn Khaldun).

Na época do Renascimento, é em nome do cristianismo e da diferença com os "selvagens", que Portugueses e Espanhóis justificam as suas explorações e conquistas no Novo Mundo, as quais, no século XVI, arrastam consigo uma remodelação dos conhecimentos, mesmo teológicos e uma reflexão comparativa sobre sociedades não europeias; tanto mais que, simultaneamente, é redescoberta a herança greco-romana, a representação do universo é subvertida por Copérnico e Galileu e é rebatida pela Reforma uma visão monolítica do mundo.

Nos séculos XVII e XVIII, acentua-se a tendência comparativa com a multiplicação das narrativas de viagens, por exemplo, de missionários entre os Índios da América, de Bernier na Índia, de Cook, La Pérouse e Bougainville na Oceânia, de Adanson no Senegal, etc. Apesar de se lhe misturar o romanesco, o fantástico e o monstruoso, a informação documental existe e foi sintetizada pelos filósofos e enciclopedistas: Montesquieu, Voltaire, Rousseau, Helvétius, Diderot, Condorcet... Em 1799, é fundada a sociedade dos "Observadores do Homem", que se propõe comparar os povos da Antiguidade, os povos selvagens e os povos indigentes (surdos–mudos). De Gérando escreve mesmo um guia de inquérito, em 1800: *Considérations sur les diverses méthodes à suivre dans l'observation des peuples sauvages* [Considerações sobre os diversos métodos a seguir na observação dos povos selvagens]. Ao longo de todo o século XIX, multiplicam-se as sociedades de cientistas, as associações de carácter etnológico e folclórico, os museus que armazenam os materiais etnográficos, enquanto, sob a influência dos naturalistas, não param as perguntas sobre as variedades da espécie humana, sobre as diferenças de cultura e sobre as etapas de um suposto progresso universal.

Fim da escravatura, é certo, mas início de uma autêntica conquista colonial do mundo! Situado na história, o discurso antropológico não é inocente: numa determinada conjuntura colonial, ele é o discurso do explorador, do missionário, do administrador, do jurista, o que em nada afecta a competência e a perspicácia de alguns dentre eles. Pouco a pouco, torna-se o discurso do especialista, no momento em que se elabora o novo saber antropológico no quadro do evolucionismo, primeiro momento de uma história sequencial das correntes dominantes em antropologia. Vamos sublinhar a especificidade dos conceitos e formas de análise, algumas obras fundamentais, as forças e fraquezas das teorias, sem insistir nas afinidades doutrinais.

I - O EVOLUCIONISMO

a) Bases ideológicas

Fundamentada sobre a crença dos séculos XVII e XVIII na unidade psíquica do género humano e no progresso das civilizações expresso por Condorcet, a corrente evolucionista, cujo desenvolvimento ocorreu na segunda metade do século XIX, apoia-se no transformismo de Lamarck e nas pesquisas de Darwin sobre a origem das espécies pela via da selecção natural. Da mesma forma que se observa no mundo natural uma diversificação das espécies e um aperfeiçoamento constante da adaptação ao meio, verifica-se no mundo humano uma passagem do simples ao complexo (Spencer) e uma melhoria dos sistemas sociais, nos domínios económicos, políticos, parentais e religiosos.

Ao mesmo tempo que Hegel apregoa a sua confiança nos benefícios da civilização, a etapa mais avançada de um processo contínuo, e situa os não-civilizados fora da história, manifesta-se paradoxalmente, sob a influência de Rousseau, a nostalgia de um estado mítico natural e do antigo subsistindo algures; daí, as teorias do primitivismo e a busca das sobrevivências. Os grupos chamados, no século XIX, "atrasados", "inferiores", "primitivos", corresponderiam a um estádio antigo das sociedades avançadas. A permanência do antigo no novo definiria as sobrevivências (traços de matriarcado, de rapto das mulheres). No saber invertido da modernidade do Ocidente, onde dominam no século XIX determinados valores: produção económica, religião monoteísta, propriedade privada, família monogâmica, moral vitoriana..., entrevêem-se, nas sociedades pretensamente atrasadas, os sistemas de troca não mercantil, o politeísmo, a propriedade colectiva, a poligamia e sistemas variados de interditos e de valores.

O evolucionismo está dividido entre, por um lado, uma filosofia teleológica da história, marcada pela crença no destino ascendente da civilização, e, por outro, uma determinação da história graças a algum factor predominante (biológico: Darwin; técnico: Morgan; económico: Marx; espiritual: Frazer).

Numa linha evolutiva única, situam-se etapas de desenvolvimento, diferentes conforme os autores: estádios teológico, metafísico, positivo (Comte); direito estatutário, depois contratual (Maine); selvajaria, barbárie, civilização (Ferguson, Morgan); sociedades esclavagista, feudal, capitalista, socialista (Marx); etc. Para compreender esta evolução de forma extensiva, constroem-se, a partir do saber documental, acumulado na época, hipóteses por vezes ousadas, visando definir, após investigação das origens, passagens obrigatórias na evolução da humanidade com a reconstituição de elos em falta (Frazer). Na base do parentesco, haveria uma fase de promiscuidade sexual primitiva não regulamentada (Lubbock), depois o matriarcado (Bachofen) e, por fim, a família patriarcal (esquema retomado por Morgan). A primitividade absoluta comportaria promiscuidade sexual, comunismo primitivo, infanticídio feminino, ginecocracia, rapto da noiva, poliandria arcaica. Tantas hipóteses erróneas!

b) *Autores*

O mais notável dos autores evolucionistas é o jurista norte--americano Lewis Morgan (1818-1881). Amigo dos Índios, publica em 1877 *A Sociedade arcaica*, onde esquematiza a evolução humana em três grandes fases: selvajaria, barbárie, civilização, cada uma delas dividida em períodos: antigo, médio e recente, iniciando-se todos por uma invenção tecnológica (agricultura, nos alvores da barbárie; comércio e indústria, nos da civilização) e cujo desenvolvimento segue o das artes da subsistência. Vem seguidamente a análise: 1) do desenvolvimento da ideia de governo, apoiado em exemplos iroqueses, astecas, gregos e romanos; 2) dos patamares de evolução da família; 3) das transformações da propriedade a partir de regras de sucessão: da organização tribal à propriedade privada. A ressonância da obra tem a ver, em parte, com o facto de ter encontrado um porta-voz em F. Engels, na sua *A Origem da família, da propriedade privada e do Estado* (1884).

Em *A Sociedade arcaica*, encontra-se todo o credo científico da época, com equívocos como estes: os meticulosos horticultores polinésios, pelo facto de não possuirem arco nem flecha, foram classificados no mesmo nível que os rudes caçadores australianos; as monarquias só aparecem num estádio civilizado, embora, na realidade, muitas monarquias africanas já existissem em sociedades orais com sistema de clãs. Muitos outros erros, correntes na época, são compensados por apreciáveis contributos de Morgan, tais como o apoio prestado às distinções de Maine entre unidades territoriais e parentais, a clarificação do conceito de exogamia (procurar mulher fora do seu grupo), rejeição da importância dada por Mac Lennan à poliandria (vários maridos para uma única mulher), a descrição exacta de numerosas nomenclaturas de parentesco, entre as quais os tipos Crow matrilineares e Omaha patrilineares, que se tornaram famosos, a distinção efectuada entre terminologia descritiva (o meu pai, a minha tia materna) e terminologia classificatória (os meus "irmãos", para designar os primos ou as pessoas do mesmo grupo de iniciação), a abundância da documentação e o poder de síntese do autor.

Além de L. Morgan, são considerados pilares fundamentais do evolucionismo antropológico E.B.Tylor (1832-1917), que, ao estabelecer correlações e verificações estatísticas, dá sentido à noção de função, e J. Frazer (1854-1941), que estuda particularmente os mitos, o totemismo e o sacrifício do rei divino.

Segundo Tylor, o animismo com a crença no dúplice é o princípio de toda a religião, que teria passado pelas fases de manismo, feitiçaria, politeísmo, e depois monoteísmo. Para Frazer, a ciência corrige a religião e esta deriva de uma magia inicial.

c) *Críticas*

Ao mesmo tempo que presta uma atenção privilegiada às sociedades mais arcaicas, especialmente australianas, aos sistemas de parentesco e à religião, o evolucionismo visa estabelecer um *corpus* etnográfico da humanidade e uma tipologia inteligível das sociedades. A sua teoria da civilização aprova a acção colonial. Mas o evolucionismo marca um momento decisivo na construção da etnologia, que nele adquire algumas problemáticas e um vocabulário técnico.

Mesmo assim, as premissas desta corrente de pensamento devem ser contestadas. Não existe trajectória histórica unilinear da humanidade, mas sim formas divergentes de civilização, dispersas no espaço. A história humana não se traduz necessariamente por um acúmulo de ganhos; emaranhada e divergente, ela pode comportar erros sociológicos, degenerescências, involuções. Cada conjuntura está prenhe de diferentes possibilidades. As mudanças não se explicam por um factor único e podem depender de efeitos de propagação, de redemoinhos, de movimentos assíncronos. Por vezes, o atraso pode funcionar como estimulante do movimento.

II - O DIFUSIONISMO

a) *A geografia correctora da história*

Ao pôr em causa a ideia evolucionista de grandes etapas da história, a corrente difusionista visa estudar a distribuição geográfica dos traços culturais, explicando a sua presença por uma sucessão de empréstimos de um grupo a outro. Postula a raridade dos processos de invenção e entende a semelhança de elementos culturais entre dois grupos como um índice da difusão destes elementos, a partir de um número limitado de focos.

Aos difusionistas ficam a dever-se os primeiros estudos científicos sobre a circulação dos traços culturais: os seus itinerários, a sua rapidez e as suas áreas de difusão, as modificações sobrevindas, os obstáculos e as condições favoráveis a esta difusão.

Esta corrente, surgida no início do século XX, é representada por três escolas: 1) *britânica*, chamada pan-egípcia ou heliolítica; teve G. Elliot Smith e W. J. Perry como chefes de fila, nos anos vinte. Na sua opinião, as aproximações de elementos comparáveis em diversas partes do mundo (pirâmides maias, o Inca peruano como deus solar, a mumificação de cadáveres africanos, as pérolas polinésias...) provariam a origem egípcia da civilização, há quatro milénios; 2) *germano-austríaca*, fundada por F. Graebner no Museu de Colónia e aprofundada especialmente pelo padre W. Schmidt, que lançou a revista *Anthropos*; a sua *Kulturgeschichtliche Method* [Método de Cultura Histórica] implica sólidas pesquisas de traços difusos e de vias de difusão que apelam para a linguística, a arqueologia e a história; 3) *norte-americana*, representada por Kroeber, Goldenweiser, Sapir, Wissler, que, agrupados em torno de Boas, desenvolveram algumas das suas ideias a partir de pesquisas no terreno e de reconstruções históricas de carácter limitado; foram também acumulados dados exactos e quantitativos sobre a circulação social e geográfica, sobre a decadência, modificação, combinação e dissolução dos elementos de cultura.

Da mesma forma que a evidência arqueológica e a constatação dos desvios intercontinentais destruiram rapidamente as lucubrações de Elliot Smith, assim também, durante muito tempo, foram apreciadas as ligações conceptuais e a documentação erudita da escola de Graebner, apesar da existência de pontos fracos, tais como o facto de não serem tomados em consideração os aspectos psicológicos da difusão. A partir de 1911, F. Graebner formula os enquadramentos importantes da análise cultural: a reunião de diversos elementos culturais (ou traços culturais), os mais pequenos fragmentos reconhecíveis numa dada cultura, permite identificar complexos culturais pela observação (*Kulturcomplexe*); a semelhança de determinados complexos em sectores geográficos, contíguos ou não, leva à procura da área cultural ou do círculo (*Kulturkreis*) de difusão destes elementos, a partir de um foco original. Se supusermos que grupos de elementos se mantêm organicamente entre eles e viajam juntos em determinada direcção, consegue-se reconstruir uma história cultural, fundada sobre semelhanças de objectos e de instituições. Assim, Schmidt induziu pertinentemente um parentesco cultural entre os habitantes da Terra do Fogo e certos grupos da Califórnia. No entanto, a diversidade dos mapas culturais levantados pelos defensores deste método, incluindo Frobenius, a arbitrariedade no grupo de elementos considerados importantes e a abundância dos casos marginais não interpretáveis por uma lógica que valoriza a causalidade externa, incitam a interrogar-mo-nos sobre a validade de tais reconstruções histórico-geográficas à escala mundial, ou mesmo à de um continente, quando se deixam de ter suficientemente em consideração factores concretos de tempo e de distância. A agregação de traços semelhantes pode muito bem não provir da mesma corrente histórica e derivar de forças dinâmicas de aceitação ou de rejeição de uma inovação, que a escola histórico-cultural parece incapaz de explicar.

Para o norte-americano E. Sapir, colocam-se diferentes princípios, tais como "a pressuposição necessária" do aparecimento de um traço só depois de determinadas aquisições técnicas o tornarem possível, ou a "firmeza relativa" da associação de traços culturais, fundada sobre a ideia de que a fraqueza de um traço como a agricultura entre os índios Paiútes é um empréstimo pouco antigo, copiado dos índios Pueblos, do sul do Novo México.

Interessado da mesma forma nos problemas da história e da tecnologia, C. Wissler introduz as noções de área cronológica (*age-area*) e de difusão concêntrica: os traços culturais, na sua opinião, difundem-se a uma velocidade constante, a partir de um centro; os traços presentes na periferia de uma área são os mais antigos. Assim, a distância exprime a duração; e as desigualdades de extensão no espaço de determinados traços culturais correspondem a diferenças de profundidade temporal. Mas esta teoria negligencia os factos da migração, a desigualdade dos ritmos de difusão segundo as direcções, a complexidade dos laços entre persistência e transformação dos traços culturais. Sobretudo, exclui inconsideradamente a possibilidade de entrada de inovações pela periferia.

Por mais frutuosas que tenham sido as pesquisas da escola difusionista para a explicação de certos contactos interculturais, censura-se-lhe hoje o seu dogmatismo,

no que se relaciona com os fenómenos de empréstimo a partir de focos de dispersão pressupostamente originários. As distorções na interpretação de numerosos factos provêm de terem sido subestimadas as capacidades inventivas do homem e excessivamente esquematizados os seus mecanismos de difusão. É conveniente estar precavido contra uma interpretação demasiado mecanicista da difusão. O empréstimo pode ser incompleto ou fragmentário. O objecto de empréstimo, despojado do seu significado original, pode ser afecto a outra utilização: aqui objecto utilitário, torna-se além objecto de prestígio; aqui, traço religioso, além tem apenas um valor estético. A transferência de um elemento cultural de uma sociedade para outra é sempre ocasião de perdas, de acréscimos e de remodelações.

b) *Franz Boas (1858-1942)*

A observação das condições do empréstimo e do desenvolvimento interno das sociedades levou Boas a considerar o estudo descritivo dos fenómenos de difusão apenas como um estado preliminar ao estudo da aculturação e das mudanças culturais. Propõe uma reflexão sobre o motivo dos empréstimos, a forma de incorporação na cultura receptora, o papel dos pioneiros, a parte das rejeições, assimilações, reinterpretações e inovações provocadas por estes empréstimos. Tem também em conta os desenvolvimentos internos, enquanto processos dinâmicos da cultura, admite que elementos semelhantes tenham podido ser inventados várias vezes em culturas diferentes e limita a sua análise comparativa a sectores geográficos restritos.

Verdadeiro fundador da antropologia cultural norte-americana, investigador de campo, céptico a respeito das generalizações, Boas, cuja obra ultrapassa o difusionismo, observa e descreve os factos humanos concretos (entre outros, a economia sumptuária do *potlatch* quaquiútle), as línguas e os mitos (que Lévi-Strauss reinterpretará) visando a exaustividade, mas sem literatura. Além do mérito de ter desfeito as teorias transformistas que, indevidamente, inferem uma origem semelhante a partir de uma similaridade de traços, ficamos a dever-lhe o estabelecimento dos limites do método comparativo, pouco fiável sem o cálculo estatístico das probabilidades. Deste coleccionador, que coligiu enorme acervo de informações sobre os Índios da América do Norte e que formou uma plêiade de investigadores, quando, na Universidade de Columbia, ensinou as estatísticas e as línguas índias, resta menos uma doutrina do que uma atitude a respeito dos factos, expressa em numerosos artigos reunidos pelo autor em *Race, Language and Culture* (1940). Neles, rejeita as distinções evolucionistas entre raça inferior e raça superior, psicologia elementar ou desenvolvida, cultura rudimentar ou evoluída e demonstra que os elementos culturais viajam sozinhos, isolados e não em bloco ou por pacotes, o que o levou a teorizar sobre a relação entre variabilidade histórica e invariantes culturais e a demonstrar que uma cultura relativamente integrada não consegue absorver seja o que for.

III - O CULTURALISMO

O culturalismo, que teve os seus inícios nos anos trinta, nos Estados Unidos, no seio da escola de antropologia cultural e cujos principais representantes são R. Linton, A. Kardiner, R. Benedict, M. Mead, define a cultura como sistema de comportamentos aprendidos e transmitidos pela educação, a imitação e o condicionamento (enculturação), num dado meio social. Diferentemente dos difusionistas, interessados no próprio quadro cultural, os culturalistas deram aos seus trabalhos uma orientação psicológica e tentaram saber como é que a cultura está presente nos indivíduos e como é que orienta os seus comportamentos. O modelamento da personalidade opera-se consciente ou inconscientemente pelas instituições e pelo jogo das regras ou das práticas habituais. Valores modais dominantes, que não excluem variantes e desvios, permitem particularizar cada cultura.

a) *Ralph Linton (1893-1953)*

Nos seus dois livros fundamentais, *Study of Man* [Estudo do Homem] (1936) e *The Cultural Background of Personality* [Os Fundamentos Culturais da Personalidade] (1945), Linton procura elaborar uma teoria das relações entre cultura e personalidade. A sua originalidade reside: 1) no conteúdo psicológico que atribui à cultura, pela insistência na transmissão e na estruturação dos comportamentos, graças à educação; 2) na importância que concede aos modelos culturais, formas típicas de pensar e de agir próprias de uma cultura e diferentes dos puros ideais de conduta; 3) na distinção que estabelece entre cultura real, com os seus modelos interiorizados pelos indivíduos e cultura construída a partir de frequências máximas de aparecimento de determinados comportamentos; 4) no exame das variantes individuais em relação às normas, das variantes em função do sexo, da idade, da profissão, da instrução, da fortuna, etc. Cada um vive, pois, apenas um segmento da sua própria cultura e dispõe de opções possíveis entre diferentes comportamentos, pois em toda a cultura coexistem diversos sistemas de valores. As variantes toleradas, tal como os desvios, agem sobre a dinâmica da cultura; 5) na sua teoria da aculturação, aspecto da modificação cultural por contactos e influências, elaborada com Robert Redfield e Melville Herskovits.

O célebre *Memorandum for the Study of Acculturation* [Memorando para o Estudo da Aculturação] (1936) apresenta a aculturação como o conjunto dos fenómenos que resultam do contacto contínuo e directo entre grupos de culturas diferentes, com as modificações subsequentes nos modelos culturais originais de um ou dos dois grupos. Conforme as circunstâncias (migração, invasão, colonização) e a situação de conjunto na qual eles se produzem, os contactos entre duas culturas, quer sejam equivalentes, quer estejam em relação demográfica, económica, política ou religiosa de dominação-subordinação, provocam atitudes tão diversas como a aceitação selectiva de certos traços, a assimilação com modificação cultural das necessidades e comportamentos, ou então, pelo contrário, provocam bloqueios, desafios, recusas ou fugas. Por um processo de reinterpretação, antigas significações são atribuídos a elementos novos; e novos valores alteram o significado cultural de determinados comportamentos de aspecto tradicional, como nos messianismos e sincretismos. Em casos-limite, opera-se uma reorganização cultural, ou então uma reacção com vista a restaurar o modo de vida anterior (contra-aculturação) ou ainda uma aniquilação progressiva da cultura de origem (desculturação), consecutiva à perda de traços essenciais.

b) *Abraham Kardiner (1891-1981)*

Em relação a Linton, com quem trabalha nos anos que precedem a Segunda Guerra Mundial, o psicanalista Kardiner mostra-se menos preocupado em alcançar uma explicação plural dos factos culturais. Os costumes e formas de disciplina, variáveis segundo as sociedades, adquiridos na infância e na adolescência, são considerados como decisivos na constituição do equipamento mental dos indivíduos. Embora Kardiner reconheça que a hereditariedade, as disposições inatas, a história individual levam ao aparecimento de uma determinada gama de personalidades que vai da normalidade até ao desvio por inadaptação à norma, não deixa de sublinhar a importância primordial da personalidade de base, reconhecida como norma social pelo conjunto dos membros do grupo. Esta personalidade de base é a "configuração psicológica particular, própria dos membros de uma determinada sociedade, e que se manifesta por um certo estilo de vida, sobre o qual os indivíduos tecem as suas variantes singulares". Esta espécie de carta, transmitida pelas instituições a que ele chama primárias (família, educação, técnicas...), porque ligadas às primeiras experiências de elaboração da personalidade, aparece ideologizada num sistema de projecções a que chama instituições secundárias (religião, folclore...), consequências das precedentes.

c) *Ruth Benedict (1887-1948)*

Para Ruth Benedict (*Patterns of Culture* [Padrões culturais],1934), as diferenças e especificidades culturais podem ser tipologizadas, não a partir da presença ou da ausência deste ou daquele traço, desta ou daquela instituição, pois a cultura não consiste numa série de elementos, mas a partir de orientações convergentes, sendo a unidade significativa a configuração geral que permeia as instituições, a vida social e os comportamentos individuais. Conformistas, ritualistas, reservados, os índios Hopis e Zunis, do Novo México, podem ser chamados apolíneos, ao passo que os índios das planícies, que valorizam a emoção, a violência e a agressividade, poderiam chamar-se dionisíacos. Uma cultura define-se, pois, pelas grandes correntes ideológicas e afectivas que a impregnam na sua globalidade. Um tema dominante constrói-se pela escolha de determinadas notas na gama das tendências e aspirações.

d) *Margaret Mead (1901-1978)*

Discípula de Boas na medida em que dá atenção aos factos materiais e aos técnicos, Margaret Mead é sobretudo discípula de Benedict, na medida em que estuda, a partir de grupos oceânicos, a relação de coerência entre os modelos culturais e a forma como a educação culmina na estruturação da personalidade adulta, reconhecida como normal numa sociedade. Relativamente brandos são os Arapesh da Nova Guiné, mimados e nutridos abundantemente, enquanto os Mundugumores, tratados sem ternura e com frustrações orais, desenvolvem comportamentos de violência. Quanto aos Tchambulis, atribuem a cada um dos sexos papéis diferentes dos que lhe são atribuídos no Ocidente: o homem é geralmente doce, solitário e artista, enquanto as mulheres, alegres e activas, tomam a iniciativa sexual. Ao contrário do que acontece na sociedade norte-americana, a crise da adolescência não existe nas ilhas Samoa, graças a métodos de educação progressivos e maleáveis, a uma atitude liberal em relação à sexualidade e a uma ausência de responsabilidades económicas e sociais.

e) *Críticas*

Embora os antropólogos não possam deixar de tirar proveito da síntese capital de Melville Herskovits (1895-1963), *Cultural Anthropology* [Bases da Antropologia Cultural], que analisa a natureza, a estrutura, o dinamismo e as variações da cultura, e embora seja interessante procurar o estilo de uma cultura e associar as interpretações psicológicas, antropológicas e sociológicas, os culturalistas podem ser acusados de: 1) terem simplificado demasiado o problema da formação da personalidade. Serão os primeiros anos absolutamente decisivos, se a socialização não cessa de se efectuar em diferentes idades, em função do surgir dos acontecimentos? 2) terem definido mal os padrões (patterns): formas de comportamento observáveis ou referências implícitas e inconscientes do pensamento e da acção? Como explicar por que motivo os Todás são poliândricos, os Bantos poligínicos e os Hopis monógamos? 3) terem negligenciado o não-codificável, hipostasiando os modelos; 4) terem pressuposto a anterioridade lógica da cultura.

IV - TENDÊNCIAS DA ETNOLOGIA FRANCESA

a) *Os sistemas de pensamento*

É no seio da sociologia, com Emile Durkheim (1858-1917) e o seu sobrinho Marcel Mauss (1872-1950), que se funda a etnologia francesa. Em França, o estudo primordial das representações colectivas manter-se-á durante muito tempo centrado no fenómeno religioso. Para Durkheim, que pretende explicar o social pelo social, tratar os factos sociais como coisas e deduzir tipos após comparação entre meios homogéneos, as sociedades de tipo arcaico, com fraca divisão do trabalho e forma de solidariedade orgânica, por exemplo a dos Aborígenes da Austrália, têm a vantagem de nos apresentar *Les Formes élémentaires de la vie religieuse* [As Formas elementares da vida religiosa]. Desta obra de 1912, as ideias-chave são as de *mana* (força), de totem (representação sacralizada do clã), e de tabu (interdito). Crenças e ritos garantem a coesão e a continuidade da sociedade, e a religião, portanto, o sagrado, seria apenas a representação hipervalorizada da sociedade por si própria.

Apesar de Mauss, tal como Durkheim, não ter efectuado pesquisas de campo, a sua influência sobre a primeira geração de etnólogos foi muito forte, quer através dos seus cursos sobre o conjunto da etnografia, quer pelas suas reflexões teóricas a respeito do fenómeno social total, a importância da troca e da dádiva nas sociedades arcaicas, as técnicas do corpo e a magia, apesar de ter acentuado bastante a oposição magia-religião e de não ter separado a magia da feitiçaria.

Pertencendo à mesma escola, Lucien Lévy-Bruhl (1857-1939), ligou-se à análise das atitudes do espírito humano nas sociedades primitivas, das quais estuda as funções mentais e a experiência mística, os símbolos e os mitos, as noções de alma e de sobrenatural. Julga estabelecer, em *La mentalité primitive* [A Mentalidade Primitiva] (1922), a existência de ligações místicas, que se efectuam em virtude de participações e de exclusões subtraídas ao princípio lógico da contradição, ideia que corrigiu nos seus Carnets póstumos (1949), afirmando que o pensamento místico e a pura racionalidade coexistem em qualquer sociedade, em graus diversos.

Titular da primeira cátedra de etnologia criada na Sorbonne em 1943 e o primeiro a estabelecer e a publicar uma cosmologia complexa em *Dieu d'eau* (1948), Marcel Griaule (1898-1956) revoluciona os estudos africanistas, não só porque revaloriza perante a opinião os produtos culturais de África, mas porque rejeita o estudo minucioso dos traços de cultura, explorando o que ele julga ser o sistema filosófico dos Dogões, a sua visão do mundo, e orientando a antropologia para o estudo das produções simbólicas: literatura oral, artesanato, música, danças, máscaras, etc. Embora as representações religiosas e cosmológicas, pelas quais a sociedade dá conta de si própria, escondam numerosos conflitos económicos ou políticos, raramente expostos pela escola de Griaule, pelo menos o *Méthode de l'ethnographie* proposto pelo mestre continua a orientar os investigadores de campo.

Ao mesmo tempo que os discípulos de Griaule investem na pesquisa africanista e contribuem para o funcionamento do Museu do Homem, fundado por Paul Rivet (1938), o qual reserva um lugar importante à paleontologia e à pré-história, Maurice Leenhardt (1878-1954) introduz-se, com *Gens de la Grande Terre* (1937) e *Do Kamo* (1947), no mundo neocaledónio, de que expõe, além do *habitat*, a economia, as estruturas políticas e sociais, todo o sistema mítico cosmomórfico e antropomórfico.

Não deixam também de ser sistemas de pensamento os que Lévi-Strauss, cujo pensamento estruturalista expomos à parte, examina preferencialmente. Mas no após-guerra, para além das pesquisas extremamente rigorosas sobre a relação entre o homem e a matéria, sobre as ligações entre meios e técnicas, gesto e palavra, levadas a cabo por André Leroi-Gourhan (*),

---

* As obras referidas são: *O Gesto e a Palavra*, vol. 1 - *Técnica e Linguagem* e vol. 2- *A Memória e os Ritos*; *Evolução e Técnicas*, vol. 1 - *O Homem e a Matéria* e vol. 2 - *Meio e Técnicas*, respectivamente n.° 16, 18, 20 e 21 da col. "Perspectivas do Homem" publicada por EDIÇÕES 70. (N. do E.)

depois por Robert Cresswell, duas outras correntes marcam a antropologia francesa.

b) *A corrente dinamista*

Abrir a politicologia às contribuições de uma etnologia que ele próprio libertou do seu arcaísmo, construir uma sociologia dinâmica da modernidade que desmascara todos os jogos de poder e obriga a interpretar os factores de desordem em qualquer sistema social: eis outros tantos objectivos conseguidos por Georges Balandier (nascido em 1920). Primeiro africanista a proceder a uma teorização da situação colonial, ao captar os desequilíbrios nascidos das relações dominantes-dominados, Balandier faz aparecer na sua *Anthropologie Politique* [Antropologia Política] (1967) o tema forte da conivência entre o poder e o sagrado. Através da antropologia das sociedades sem Estado revelam-se simultaneamente, com clareza, os fundamentos, os processos e as funções do poder. Afim de afirmar a ordem, joga-se temporariamente na desordem. Por muito regulador que seja, o poder deixa escapar as discordâncias entre práticas sociais e estruturas oficiais. Embora todo o sistema seja instável e inédito, e embora coabitem a incerteza, a ordem e a desordem, convém apreender as mudanças através dos sinais reveladores dos desajustamentos: contestações, conflitos e crises presentes, por exemplo, nos messianismos, nos sincretismos, nas ideologias de partidos africanos. Ao promover uma sociologia das mutações e do desenvolvimento do Terceiro Mundo, Balandier procede a uma investigação crítica da modernidade ocidental (sexos, gerações, desigualdades) pelo atalho do africanismo, que lhe serve de trampolim para um salto na actualidade.

Em convergência com este projecto, Jean Guiart, que dirigiu o Museu do Homem, analisa as mudanças ocorridas, na chefatura neo-caledónia, no mundo melanésio, devido à colonização e ao capitalismo. E Pierre Bourdieu, nas suas pesquisas sobre a Argélia e sobre o Béarn, propõe-se descobrir a lógica da prática que ocorre na acção e na urgência, de preferência à lógica reversível dos modelos. As práticas, segundo a sua lógica interna, relevam da estratégia, mesmo que não exista intenção de coerência ou de inteligibilidade. Assim, no Béarn, apesar de a regra decretar a igualdade na sucessão, a prática tudo faz para evitar a divisão das terras.

c) *A corrente marxista*

Nos anos sessenta e setenta, o marxismo, tendo-se desenvolvido nos sectores de investigação que invocam tanto o estruturalismo aplicado na Oceânia (M. Godelier) como o dinamismo adaptado por africanistas (E. Terray, C. Meillassoux, P. P. Rey, J. Copans), escolheu logicamente como campo privilegiado de pesquisa o domínio da antropologia económica, de que voltaremos a falar, acabando por evoluir muito com o tempo. Constituem muito particularmente objecto de debate as seguintes teses: primado das forças produtivas (de que forma a economia aparece como instância dominante?); a sua natureza e desenvolvimento (existem formas de produção asiática, ou seja, de linhagem - saídas de determinadas linhagens -, inscritas, por exemplo, entre o esclavagismo ou o feudalismo e o capitalismo); apropriação dos meios de produção e apropriação dos homens (especialmente por uma classe de mais velhos, segundo Meillassoux). M. Augé resume bem a divergência dos pontos de vista, em particular entre Terray e Godelier. Na opinião de Terray, o modo de produção fundamenta-se em tipos de cooperação entre produtores, diferentes no modo de produção de linhagem, centrada na agricultura e na criação de gado, e na forma de produção tribal-aldeã da caça com armadilha, que exige uma cooperação complexa; ideia que Terray corrige mais tarde, sublinhando que é a relação de exploração que singulariza o modo de produção e que uma mesma formação é composta por diferentes modos de produção. Godelier objecta a Terray de confundir a natureza e a forma das operações técnicas (processos de trabalho) com as condições sociais deste trabalho (processos de produção). Rey critica também em Terray o facto de estar unicamente atento ao processo de produção imediato e não ao problema da reprodução. Seja como for, os progressos da antropologia económica ficam a dever muito a estes debates marxistas, acompanhados de pesquisas rigorosas no terreno.

V - O FUNCIONALISMO
a) *Os termos*

O termo funcionalismo impôs-se na Grã-Bretanha nos anos 1930-1950, graças a Bronislaw Malinowski (1884-1942) e a Alfred R. Radcliffe-Brown (1881-1955). Rejeitando as teses fundamentais do evolucionismo e do difusionismo, tal como a explicação por factores psicológicos (culturalismo) ou históricos contingentes, esta corrente privilegia o estudo empírico dos factos sociais no terreno e apreende-os como uma totalidade ordenada, passível de um tratamento científico. A atitude consiste em recolocar os factos descritos no seu contexto social (ideia durkheimiana) a fim de os interpretar e, em seguida, explicar um fenómeno social pela totalidade (não inteiramente estruturada) na qual ele se inscreve e na qual se postula ter uma ou várias funções, assim como um relacionamento com cada um dos elementos do conjunto, eles mesmo interdependentes e dispostos em configurações.

Foram três as noções que contribuiram para o nascimento do funcionalismo: a de utilidade (para que serve?), a de causalidade (por que motivos, para obter que resultados?) e de sistema (como se opera a interdependência dos elementos, num conjunto coerente e disciplinado?). Quanto à noção de função, essencial para este corpo de doutrina, não lhe falta ambiguidade, visto que pode tratar-se de função-finalidade (a proibição do incesto tem por função assegurar a circulação das mulheres entre segmentos sociais), de função-processo (a família nuclear é funcional na sociedade industrial, na medida em que garante mobilidade) ou de função-resultado (um partido democrático tem por função reter, através dos seus serviços de assistência, os eleitores das classes populares). São sentidos tributários de perspectivas científicas diferentes. Em biologia: a função glicogénica do fígado designa o papel de um órgão para a estabilidade do organismo. Em matemática: "y função de x" indica a dependência entre a variação de uma determinada grandeza e a variação de uma ou várias outras (o preço da viagem é feito em função da distância, da forma de transporte, do custo dos serviços, etc.). Em sociologia, a palavra é utilizada na linguagem corrente das organizações (função de direcção, ou de execução, função pública) e remete para a ideia de utilização e de estatuto (promoção de uma função a outra) e à de um conjunto de responsabilidades (X ... negligencia as suas funções de decano). Mas a verdade é que em A. Comte e H. Spencer a função era a finalidade procurada intencionalmente e em E. Durkheim a causa eficiente dos processos sociais de adaptação, de organização e de integração.

b) *Os representantes*

Na sua primeira obra de campo, *Os Argonautas do Pacífico Ocidental* (1922), que apresenta o grande movimento de troca (*kula*) entre as ilhas de um arquipélago situado a leste da Nova Guiné, Malinowski revoluciona a investigação concedendo o primeiro lugar ao inquérito de campo e elaborando o método de observação-participação. Veremos mais tarde o seu papel pioneiro na antropologia económica e na sua relativização do complexo de Édipo. O que aqui nos retém é principalmente a sua definição de cultura como "aparelho instrumental que permite ao homem resolver da melhor maneira os problemas concretos e específicos que deve enfrentar no seu meio, quando tem de satisfazer às suas necessidades". As instituições criadas pelo homem com elementos integrados são respostas adaptáveis às necessidades elementares (necessidade de reprodução/instituição do parentesco), e às necessidades derivadas de carácter cultural (crescimento/educação).

Robert K. Merton, que adopta um funcionalismo relativizado, aponta como crítica (1949) ao funcionalismo absoluto de

Malinowski o facto de partir de três postulados erróneos: 1) o da unidade funcional da sociedade: cada elemento de uma sociedade seria funcional para todo o sistema; ora, as sociedades perfeitamente integradas são muito raras (toda a sociedade complexa comporta elementos dis-funcionais ou a-funcionais); 2) o do funcionalismo universal: todo o elemento cultural ou social executa uma função, mas Malinowski justapõe estas funções sem mostrar a sua ligação, nem a substituição possível de uma pela outra; 3) o da necessidade: cada elemento é uma parte essencial do conjunto social. Mas os conflitos e as patologias sociais serão indispensáveis? E além disso, não existem por todo o lado sobrevivências que acabam por se apagar sem prejuízos?

Para corrigir estas deficiências, Merton propõe os seguintes conceitos: 1) conceito de equivalente ou de substituto funcional: um só elemento pode ter várias funções e uma única função pode ser realizada por elementos intercambiáveis. Cada necessidade apela para várias respostas (assim, o bem-estar clama por abrigo protecção, higiene) e cada resposta corresponde a várias necessidades; 2) conceito de dis-função, que incomoda a adaptação ou o ajustamento ao sistema (droga, bando, guerra); 3) conceito de função latente não desejada pelos participantes, a distinguir da função manifesta ou intencional. Num rito de cura, por exemplo, a finalidade explícita não é alcançada, mas outros efeitos, tais como o conforto psicológico e a coesão social, procedem certamente das intenções subjacentes ao rito.

Embora A. R. Radcliffe-Brown e T. Parsons se integrem bem na corrente funcionalista, professam um estruturalismo funcionalista e serão vistos como precursores do estruturalismo de Lévi-Strauss. Basta anotar aqui que, para Radcliffe-Brown, a função contribui certamente para a organização e a acção de um conjunto, mas não predetermina a instituição que a realiza. Reconhece mutações e equivalentes funcionais, interessa-se pelos sistemas de relações entre homens e grupos, distingue os arranjos sociais observados e os princípios não directamente observáveis que os regem.

c) *Críticas*

Com toda a pertinência, o funcionalismo coloca o acento sobre a primazia do sistema e a secundariedade dos elementos, devendo estes ser considerados nas suas relações mútuas (mas trata-se de interacção ou de interdependência?) e em função do seu papel na cultura entendida como um todo organizado, ordenado, coerente (sem enunciar, infelizmente, os limites desta integração). A maior parte dos campos da antropologia tornou-se objecto de análises funcionalistas: vida familiar, economia, magia (Malinowski, Firth), parentesco, religião, política (Radccliffe-Brown, Fortes). E progressivamente, desembaraçando-se dos modelos teóricos criados por Merton, aperceberam-se de que, uma vez posto de parte o funcionalismo como teoria, restava o método racional de investigação da realidade, extremamente fecundo porque na base de toda a ciência rigorosa: busca empírica dos dados concretos, captação das relações, reconstituição de um todo após estudo funcional das variáveis e das suas ligações, correlações e interacções.

Mas, embora o homem em sociedade possa ser analisado segundo o modelo determinista das ciências da natureza, também é verdade que, como sublinha E. Evans-Pritchard, os sistemas sociais são sistemas morais, que não exigem só explicação mas ainda interpretação dos significados subjectivos e simbólicos nos ritos e crenças, por exemplo. Tal como não se deve exagerar a importância da analogia biológica na explicação do fenómeno social, não se deveria omitir a história, como infelizmente faz Malinowski, que pretende apreender numa sociedade, de um só golpe, todos os elementos funcionais necessários à sua compreensão, o que é contestado pela corrente dinamista (Gluckman, Balandier), atenta às mudanças do exterior e do interior, às tensões, contradições e conflitos. Em suma, o funcionalismo não explica nem a génese nem as transformações de uma cultura ou de uma organização. A crítica é válida também para o estruturalismo.

Aliás, censura-se ao funcionalismo a oscilação entre uma causa formal tautológica e uma causa final teleológica. É uma banalidade dizer que uma sociedade funciona, é um absurdo dizer que numa sociedade tudo funciona, declara Lévi-Strauss. E Leach estigmatiza o equívoco lógico da noção de função aplicável aos factos observáveis como aos supostos fins. A prevalência de uma finalidade de integração e de harmonia social fica por demonstrar, tal como a ideia de uma primazia ontológica do todo em relação às partes. O individualismo metodológico (Boudon) assume uma posição diametralmente oposta ao holismo funcionalista, ao demonstrar que os indivíduos como actores sociais constituem o grupo pelas suas transacções, e que nem todas as sociedades obedecem a leis idênticas de funcionamento.

VI - O ESTRUTURALISMO

a) *O estruturo-funcionalismo anglo-saxónico*

Embora Alfred R. Radcliffe-Brown invoque o funcionalismo, o seu livro *Structure and Function in Primitive Society* (*) (1952) valeu-lhe ser considerado um dos pais do estruturalismo, na medida em que associa os conceitos de estrutura, função e processos. Define a estrutura como "a disposição ordenada das partes ou elementos que compõem um todo", os elementos sendo pessoas (ex.: chefes, especialistas rituais) e grupos (ex.: linhagens, clãs) em relação, de acordo com os seus respectivos lugares. Em sentido lato, a estrutura associa sistemas (parentesco, religião, política...); em sentido restrito, põe em evidência a rede de relações entre posições sociais, sendo esta rede diferente do sistema de tarefas numa organização. Além desta flutuação nas acepções do termo, há ambiguidades quando o autor recorre à ideia de processos para evocar as modificações da forma estru-

---

* *Estrutura e Função nas Sociedades Primitivas*, n.º 36 da col. "Perspectivas do Homem", Edições 70. (N. do E.)

tural, ao mesmo tempo que fala da permanência da estrutura social através dos tempos.

Na realidade, nunca se sabe bem se a estrutura é um conceito teórico ou um dado de observação. Nadel, por seu turno, na sua *Théorie de la structure sociale* (1957) afirma o carácter empírico das estruturas observáveis na organização de uma sociedade. Também ele, portanto, é passível da crítica feita por Lévi-Strauss: a estrutura não é uma realidade concreta, mas um modelo explicativo, uma construção intelectual, que permite interpretar fenómenos muitas vezes inconscientes.

Do estruturo-funcionalismo de Talcott Parsons (1902-1980), que influenciou os sociólogos mas pouco guiou os antropólogos, contentar-nos-emos em evocar a visão sistemática, conservadora e contestada, que consiste em reduzir a quatro imperativos (*functional prerequisites*, pré-requisitos funcionais) as funções a que deve satisfazer todo o sistema social : 1) manutenção dos modelos de controlo, que asseguram estabilidade cultural e reprodutiva dos valores; 2) integração interna das unidades constitutivas do sistema social; 3) realização dos fins colectivos; 4) adaptação às condições do ambiente.

b) *A antropologia estrutural de Lévi-Strauss*

Claude Lévi-Strauss (nascido em 1908) posiciona-se do outro lado do empirismo cultural anglo-saxónico, e deliberadamente do lado do intelecto. À semelhança do linguista que, na linguagem entendida como sistema de signos (fonético, sintáctico e semântico) procura descobrir as regras de organização, independentemente da consciência dos sujeitos falantes, Lévi-Strauss analisa o parentesco como sistema de comunicação e de troca entre estatutos e papéis sociais, de acordo com um princípio de reciprocidade, que consiste em se interditar o parente próximo para o trocar por um cônjuge proveniente de outro grupo. Quando "procura as leis universais que regem as actividades inconscientes do espírito", o estruturalista rejeita a questão da origem dos fenómenos em proveito de um estudo das suas formas. A actividade inconsciente do espírito consiste em impor idênticas formas a conteúdos diversos, mas o inconsciente de que se fala aqui tem pouco a ver, a não ser a sua função de ocultação, com o da psicanálise, fortemente marcado pela afectividade. Na realidade, o oculto em toda a estrutura social, é a sua razão de ser, o seu princípio explicativo.

O capítulo XV da *Anthropologie structurale* (1958) expõe o essencial da atitude estruturalista. A estrutura é um tipo de formalização que se adapta a um conteúdo variado. Ela serve para distinguir relações sociais, matéria primeira utilizada na construção dos modelos que tornam manifesta a própria estrutura social. Toda a estrutura reveste um carácter de sistema naquilo em que existe primazia do todo sobre os componentes, e primazia das relações sobre os termos que eles unem. Compreender o sentido de um termo é permutá-lo em todos os seus contextos. Qualquer modelo construído deve dar conta de todos os factos observados e possuir uma utilidade previsiva em caso de modificação de elementos. Mas o modelo não é lisível à primeira vista na observação etnográfica concreta; as normas sociais conscientes são mais pobres do que os modelos inconscientes. Estes modelos podem ser quer mecânicos, à escala dos fenómenos, quer estatísticos, a uma escala diferente. Quanto às estruturas, Lévi-Strauss desvenda-as tanto no parentesco e na aliança como no mito de Édipo e na cura xamânica. As aldeias índias podem estar estruturadas espacialmente de forma diametral ou concêntrica.

Inteligente e classificativo, o "pensamento selvagem", que temos demasiada tendência para opor ao pensamento racional, opera também ele distinções por meio indirecto das imagens, estabelece oposições, fixa regras de compatibilidade e de incompatibilidade, procura causalidades e determinismos. Podemos vê-lo em acção na elaboração dos mitos.

c) *Vulnerabilidade do estruturalismo*

Objectou-se a Lévi-Strauss estar mais atento aos discursos do que às práticas, às formas abstractas e estruturadas de uma lógica fora do tempo do que às relações reais estruturantes. Como está posta de parte a questão do conteúdo, confundem-se as condições necessárias à leitura de uma obra e as necessárias à sua existência. Ora, nada prova que os sistemas de comunicação sejam indiferentes às condições de troca (cerimónia, gratificação, ameaça, ostentação na política, por exemplo) e à natureza dos componentes (homem de prestígio ou de poder, partido da oposição).

Se o corte entre a história estacionária das sociedades frias tradicionais e a história cumulativa das sociedades quentes modernas é por demais marcado, a própria história parece mais estar entre parênteses, na medida em que as relações de força internas numa sociedade são negligenciadas, assim como as relações de domínio entre sociedades. A corrente dinamista enuncia fortemente que todo o sistema só aproximativamente é ordenado, que está sujeito à contingência e a uma história de mudanças, à primeira vista afastadas pelo estruturalismo.

Aliás, como explicar que variações culturais procedam de um espírito humano invariável? Em nome de quê, a propósito de textos míticos do pensamento selvagem, se pode afirmar que o sentido que se lhes atribui é o correcto e o único coerente? Ao procurar o mito do mito, não será que Lévi-Strauss postula o mito de uma palavra originariamente boa?

VII - O ACTUAL PREDOMÍNIO NORTE-AMERICANO

A análise linguística, que tanto influenciou Lévi-Strauss, esteve também, por volta de 1965, na origem de uma corrente norte-americana que se chamou "etnometodologia", mas que nada tem a ver com os métodos da etnologia. Trata-se de uma sociologia do saber quotidiano, elaborada a partir de uma análise da linguagem falada e da fenomenologia (Garfinkel, Cicourel), que permite captar o sentido das interacções entre indivíduos, de revelar as estratégias dos agentes, os seus comportamentos, regras e normas, através da actividade quotidiana, das práticas sociais ou das conversas.

Pelo contrário, a análise componencial teve aplicações etnológicas no domínio do parentesco e da civilização material (vestuário, mobiliário). À sociologia cognitiva de Cicourel corresponde, nos Estados Unidos, a antropologia cognitiva de Bloomfield. Na opinião do autor, a civilização é um corpus de conhecimentos, no qual devemos distinguir o código funcional subjacente, o "émico" (como *fonémico*), e as roupagens diversas, sem incidências sobre estes conteúdos, que podem provir da idade, do sexo, da geração, o "ético" (como *fonético*), quer dizer, o importante (*émico*) e a forma variável (*ético*).

Nos Estados Unidos, uma orientação individualista acompanha a pesquisa cognitivista. A própria etnologia reafirma o indivíduo como actor e o seu papel criador de agente social. No transaccionalismo norte-americano dos últimos vinte anos, o grupo perde todo o valor analítico, não passa de um simples resultado estatístico das acções e interacções individuais. Embora conservem uma imagem do indivíduo livre e racional, Goodenough e Keesing introduzem-nos de chofre na transacção, isto é, na relação social. A cultura dá forma e substância às regras que governam o comportamento; dito por outras palavras, ela fornece a gramática das relações sociais.

Como o transaccionalismo tem impacto nos problemas do parentesco, o neo-evolucionismo, que lhe é anterior, influenciou, além da antropologia económica, disciplinas como a ecologia (estudo do ambiente), a etologia (costumes animais e humanos), a paleontologia e a pré-história. A ideia inicial é que, na evolução social, a cultura (ou a civilização) possui uma função análoga à da adaptação biológica ao ambiente, na evolução animal. Segundo esta teoria, que foi chamada "ecologia cultural", a reprodução supõe adaptação ao ambiente, o qual coloca constrangimentos e possibilidades, entre as quais as civilizações escolhem para evoluir, segundo trajectórias diversas. A ecologia cultural põe em evidência as funções adaptadoras dos traços culturais e dos elementos de organização. Ela chama concretamente a atenção sobre as relações com o ambiente: recursos alimentares, técnicas de cultura, facto demográfico, gestão da saúde..., e origina três tipos de exploração do ambiente: caça-recolecção, agricultura, criação de gado, que constituem o objecto privilegiado de pesquisa de uma antropologia económica neomarxista.

Estas poucas indicações bastam para mostrar, por um lado, que os Estados Unidos se encontram, por agora, na vanguarda da antropologia, por outro, que as teorias, de totalizantes que eram até ao estruturalismo, tendem cada vez mais a situar-se a um nível médio, a limitar o seu alcance e a orientar a exploração descritiva e explicativa dos resultados obtidos para fins de previsão.

3
ANTROPOLOGIA DO PARENTESCO

I - INTRODUÇÃO

a) *Historial da questão*

Os estudos do parentesco constituem a verdadeira base das pesquisas antropológicas. Desenvolveram-se em três etapas sucessivas.

1) Em 1861, o jurista *Sir Henry Maine publica a obra pioneira Ancient Law*, que abre caminho às reflexões dos evolucionistas. Uma liga política das famílias soberanas teria invocado uma genealogia comum, para elaborar os primeiros grupos de descendência, ilustrados, entre outros, pelas gentes romanas. Mas para Morgan, que publica em 1871 o seu *Systems of Consanguinity and Affinity* [Sistemas de consanguinidade e de afinidade], a família, com função doméstica, distingue-se da gens, com função política. Em 1897, J. Kohler compara, do ponto de vista terminológico, os sistemas índios dos Omahas e dos Crows. Mas, em toda a segunda metade do século XIX, circulam como moeda corrente algumas ideias (agora obsoletas): anterioridade das instituições matrilineares em relação às patrilineares, as quais mostram sobrevivências do matriarcado;

ignorância presumível entre os primitivos sobre a paternidade fisiológica; não-pertença do pai à família nas tribos nómadas, etc.

2) A partir da controvérsia entre Rivers e Kroeber (1909) a propósito de terminologias de parentesco e da distinção operada por Rivers entre *kinship* (os laços de sangue), traduzido por "descendência", referido ao sistema doméstico, e *descent* (a pertença à linhagem), traduzido por "filiação", referido ao sistema político-jurídico, os estudos de parentesco desenvolvem-se em três direcções: a) a teoria dos grupos e redes de filiação unilinear (Rivers, Radcliffe-Brown, Evans-Pritchard, Fortes); b) as teorias da aliança, do casamento (Van Wouden, Lévi-Strauss) e do folclore familiar; c) o estudo das terminologias (Kroeber, Lowie, Murdock). Nos anos vinte, forjaram-se o método das cadeias genealógicas e o sistema das relações primárias.

3) Em 1949, o aparecimento simultâneo de três obras (Fortes, *The Dynamics of Clanship among the Tallensi* [A Dinâmica da pertença ao Clã entre os Talensis]; Murdock, *Social Structure* [Estrutura social]; Lévi-Strauss, *Les Structures élémentaires de la parenté* [As Estruturas elementares do Parentesco]) renova o conjunto das perspectivas sobre as estruturas de parentesco, o que leva os europeístas, sobretudo nos anos setenta, a reexaminar as teorias da aliança e do casamento (escolha do cônjuge, tarefas, estratégias matrimoniais, formas de transmissão da autoridade e dos bens no quadro de um parentesco bilateral). Goody, Schneider, Héritier, Zonabend..., comparam o parentesco e a família no Ocidente e na África. Historiadores como Duby e Legendre demonstram o peso da Igreja no consentimento mútuo, na liberdade de fazer testamento, na proibição de divórcio, de concubinato e de casamento entre parentes. Insistem no parentesco espiritual (apadrinhamento, compadrio) como contrapartida ao parentesco carnal, enquanto a crítica feminista e as técnicas de procriação medicamente assistidas conduzem agora a um reexame da filiação.

b) *O parentesco como laço*

Principais sinais utilizados

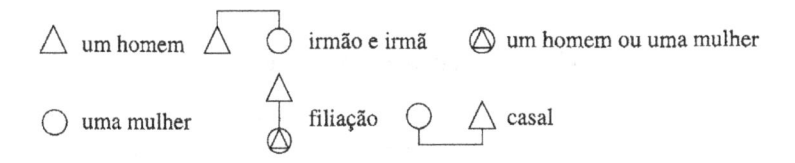

△ um homem   △─○ irmão e irmã   ⊘ um homem ou uma mulher

○ uma mulher   △/⊘ filiação   ○─△ casal

O parentesco define-se como um conjunto de laços que unem geneticamente (filiação, descendência) ou voluntariamente (aliança, pacto de sangue) um determinado número de indivíduos. Reveste-se mais de um carácter sociocultural do que biológico, tanto mais que os laços de consanguinidade podem não ser reconhecidos socialmente em casos de paternidade ilegítima, por exemplo, e que, inversamente, o parentesco social nem sempre repousa sobre uma consanguinidade verdadeira, no caso, por exemplo, de uma descendência puramente mítica a partir de um totem comum, ou de uma filiação por adopção e transferência de direitos.

O parentesco do ponto de vista biológico releva da natureza, mas é sobretudo um laço jurídico e um código moral, pois a sociedade atribui às representações mentais relativas ao sistema e aos laços de parentesco um poder de coacção e de normatividade. Um sistema de parentesco, nem agregado estruturado, nem grupo social, é uma rede complexa de laços com numerosas ramificações.

Estes laços reduzem-se a três relações primárias: a filiação (pais-filhos), a germanidade (irmão-irmã, irmão-irmão, irmã--irmã), a aliança (marido-mulher). Em *Anthropologie Structurale*, C. Lévi-Strauss acrescenta, para constituir o que ele chama a célula nuclear de parentesco, a relação avuncular (tio--sobrinho), que pressupõe as outras três. Quando a relação de filiação é familiar, a relação avuncular é rigorosa, mas quando o pai é o austero depositário da autoridade familiar, o tio é tratado com liberdade. Da mesma forma, se o laço entre irmão e irmã é apertado, o laço entre cônjuges é mais largo, ou inversamente. Neste esquema encontram-se os elementos fundamentais de todo e qualquer sistema de parentesco.

Célula nuclear de parentesco

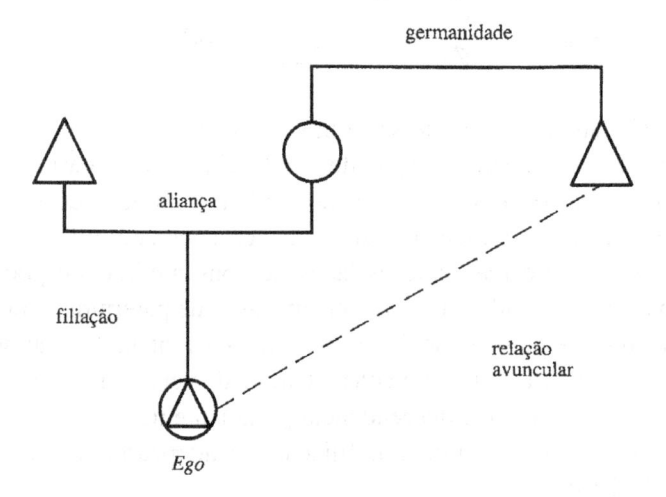

germanidade

aliança

filiação

relação avuncular

Ego

A fim de se compreender o funcionamento dos sistemas de parentesco, convém ter em conta diversas ordens particulares de fenómenos: a filiação, a aliança, a terminologia, a residência, as atitudes, a herança e a autoridade.

II – A FILIAÇÃO

a) *Sistemas de filiação*

Definida por Rivers como a transmissão da qualidade de membro de uma família, a filiação entende-se como o conjunto das regras que definem a identidade social da criança em relação aos seus ascendentes, e que determinam a hierarquia dos mem-

---

* *Ego* representa o elemento de referência da relação familiar em questão. (N. do T.)

bros da família, a forma de herança dos bens, a transmissão de cargos e funções, até a distribuição da autoridade nas sociedades tradicionais. Nestas, os fenómenos de filiação surgem bem mais complexos do que esquematiza o Código Civil ao distinguir as filiações legítima, natural ou adoptiva. Enquanto reconhecemos um parentesco idêntico de ambos os lados, paterno e materno, muitas sociedades privilegiam as relações com um ou outro dos seus ascendentes.

A **filiação** chama-se **indiferenciada**, cognática ou bilateral quando o parentesco é reconhecido dos dois lados e quando há identidade de direitos e de deveres com respeito aos parentes paternos e maternos, quer dizer, sem que o sexo dos parentes seja tido como critério de selecção e mesmo que, por vezes, se possam perceber inflexões patrilaterais na transmissão dos apelidos, da autoridade ou da herança.

Em muitas sociedades do Terceiro Mundo, domina o tipo de descendência unilateral, embora exista uma grande variedade de usos relativos ao tratamento social do laço genealógico. A regra de **filiação unilinear** determina o grupo dos parentes (clã, linhagem....), de que o indivíduo se tornará membro entre os descendentes biológicos de um mesmo antepassado.

Se os direitos sociais, a categoria, o apelido, a religião, os antepassados, os bens são transmitidos pelos parentes paternos, quer dizer, **em linha agnática, a sociedade é patrilinear** (ver esquema a seguir). Os filhos fazem parte da linhagem do pai e não da mãe. Só os filhos machos transmitem a pertença à linhagem.

Quando *Ego* se liga socialmente aos seus ascendentes através da mãe, quer dizer, **em linha uterina, a sociedade é matrilinear**. Neste último caso, no entanto, o poder e o controlo social pertencem a maior parte das vezes aos homens e é o tio materno (irmão da mãe) quem exerce a autoridade sobre os filhos da sua irmã. Muitas vezes, no entanto, o pai procura alargar a sua autoridade aos filhos, principalmente se vivem com ele até à puberdade, embora pertencendo à linhagem da mulher.

Sistema patrilinear

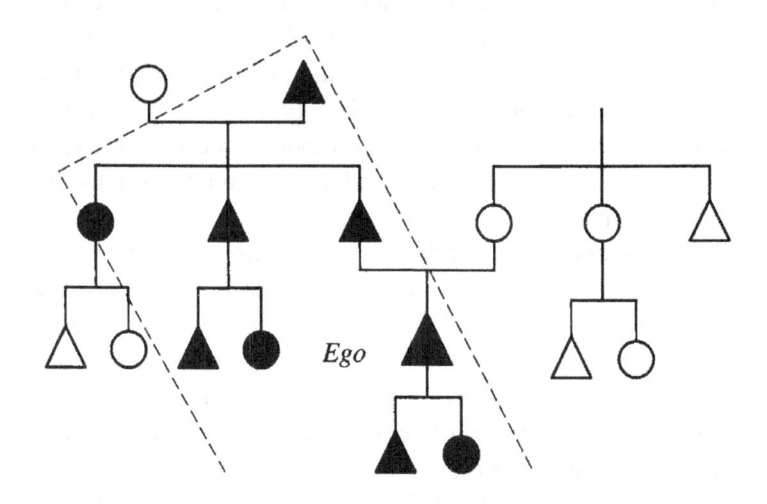

Podem ocorrer conflitos, provenientes do facto de os parentes uterinos procurarem reduzir o poder do pai. Devido à abundância das formas de família, de grupos domésticos e locais que elas revelam, as sociedades matrilineares confundem os etnólogos. Os Achantis do Gana herdam o "sangue" do clã materno, mas o "espírito" provém do lado paterno.

O sistema dito de dupla filiação ou **filiação bilinear**, por exemplo, entre os Aborígenes da Austrália, combina os sistemas patrilinear e matrilinear, ligando o indivíduo pela transmissão de determinados direitos ao seu grupo paterno e por outros ao grupo materno, mas são afastadas as pessoas que pertencem ao grupo matrilinear do pai ou então patrilinear da mãe. Grupos australianos como os Murngins, Karieras, Aruntas, não têm linhagem mas dividem-se em secções e praticam o casamento preferencial com a filha do irmão da mãe e a filha da irmã do pai.

Deve notar-se que a análise dos factos etnográficos desmentiu as ideias evolucionistas de passagem inicial de todas as sociedades pelo matriarcado, depois pelo patriarcado, e por fim

Sistema matrilinear

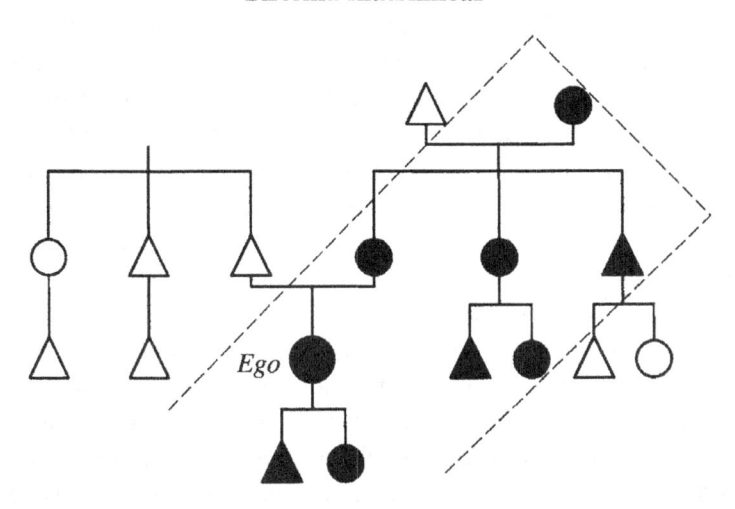

a filiação indiferenciada. Aliás, Murdock sublinha com pertinência que, se não possuímos nenhum exemplo de passagem da patrilinearidade à matrilinearidade, é porque o fenómeno não poderia logicamente produzir-se.

b) *Grupos de parentesco*

A aplicação das regras de filiação unilinear gera a formação, quanto ao modo de recrutamento, de grupos selectivos, cujos membros estão ligados por uma descendência comum, a partir de um antepassado comum.

O **clã** é um grupo de filiação unilinear (patriclã ou matriclã), abarcando um determinado número de casas que pretendem descender de um mesmo antepassado lendário ou mítico. Os seus membros invocam, por vezes, um totem comum (animal ou planta) ligado ficticiamente ao antepassado. Respeitam as mesmas proibições matrimoniais ou alimentares e possuem o mesmo patronímico ou nome genérico. A pertença ao clã determina a transmissão da herança e funções diversas - rituais, económicas, políticas, guerreiras, etc., - e gera uma solidariedade activa.

O clã compreende um certo número de **linhagens** exógamas

(casam-se fora da sua linhagem) ou subgrupos de descendência organizados unilinearmente, tendo actividades comuns, contando geralmente de duas a seis gerações e ligando-se a um antepassado histórico, cuja recordação se conserva. No seguimento de dispersões por acréscimo demográfico ou conflitos, clãs e linhagens segmentam-se com o passar do tempo. Conforme as sociedades, podem ainda observar-se distinções entre clã, subclã, linhagem principal, linhagem secundária. Por ordem de inclusão decrescente, distinguem-se por vezes: etnia, tribo, clã, linhagem, família, casal, indivíduo.

No caso de filiação unilinear que obedece a dois princípios - 1) um único sexo, o homem (patrilinearidade) ou a mulher (matrilinearidade) transmite a pertença ao clã; 2) os germanos (irmãos e irmãs) pertencem ao clã do progenitor transmissor da pertença - a regra tem como consequência atribuir a grupos de filiação distintos os primos cruzados, originados de germanos de sexo oposto (irmã do pai ou irmão da mãe) e os **primos paralelos**, saídos de germanos do mesmo sexo (irmão do pai, irmã da mãe). Esta distinção é fundamental no domínio da aliança, pois, segundo a regra da exogamia, os primos paralelos estão a maior parte das vezes proibidos como parceiros, enquanto os primos cruzados são cônjuges possíveis.

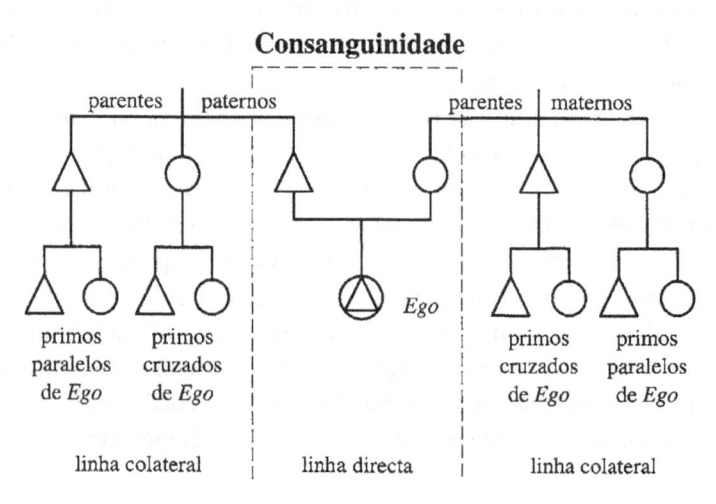

Consanguinidade

c) *Filiação e afiliação*

Evite-se confundir a descendência, como representação mental de uma sequência de laços genealógicos fundados sobre uma filiação de série, e a regra de descendência, que estipula em que série se deve constituir a genealogia.

O grupo de parentesco supõe um ou diversos critérios de pertença, assim como normas e valores comuns, e ligações sociais activas. Mas a importância concedida na organização social aos grupos de parentesco varia conforma os sítios. Assim, tem-se oposto a afiliação circunscrita e fechada das sociedades africanas à afiliação aberta, de redes e de escolhas de pertença, das sociedades melanésias. Mesmo na África, os Lozis, estudados por Gluckman, estão mais ligados entre eles pela ocupação de uma localidade do que pela pertença a um grupo de descendência. Na Polinésia, nas ilhas Gilbert, estudadas por Goodenough, os grupos não unilineares definem-se em relação à propriedade de bens imóveis. Existem afiliações por opção, ajustamentos às condições ecológicas e à demografia. Sahlins demonstrou bem claramente que a vida leva a melhor sobre as normas de afiliação e que as regras não reflectem a realidade.

A verdade é que a filiação se adapta às circunstâncias demográficas e ecológicas, às ameaças militares, às deslocações da população, o que arrasta consigo uma instabilidade dos grupos locais de parentesco. Nos sítios onde a família é particularmente frágil e instável, como entre os Hopis do Arizona, embora os filhos sigam a linha materna, adivinha-se como são levados a mal os princípios segundo os quais os direitos religiosos são recebidos do lado materno e os direitos legais, tal como o estatuto, do lado paterno. Também não é menos verdade que os grupos de parentesco são os principais determinantes da terminologia de parentesco e das regras do casamento.

III - A ALIANÇA MATRIMONIAL

a) *Definição*

União contraída entre dois grupos exógamos pelo casamento de um dos seus membros, a aliança liga dois indivíduos de sexo diferente através de um conjunto de direitos e de obrigações mútuas, variáveis de cultura para cultura. Lévi-Strauss considera-o o fenómeno capital na constituição das estruturas de parentesco. Efectivamente, a aliança opera uma remodelação da estrutura social, legitimada pelo costume. Ela condiciona os processos de filiação, de residência, de apelido, de herança, de atitudes e abre o caminho à procriação legítima no grupo conjugal. Geralmente, um rito de casamento, religioso ou civil, soleniza a mudança de estatuto dos novos esposos e a criação de laços jurídicos, sociais e económicos entre o grupo de filiação do marido e o da mulher. Não é falso dizer-se que, muitas vezes, predominam no casamento motivações de ordem económica.

b) *A escolha do cônjuge*

Na transacção pré-matrimonial, tem lugar uma selecção do parceiro segundo a sua origem, as suas qualidades, a sua identidade social, visando aumentar o capital material ou simbólico; seguidamente, são empreendidas diligências para conquistar a pessoa escolhida (pela família ou pelo indivíduo) e para obter, através de negociações, o assentimento de um determinado número de pessoas nas famílias dos dois parceiros.

A formação do laço matrimonial supõe a reunião de condições de fundo, relacionadas com a idade, o sexo, o grau de parentesco dos esposos, o seu consentimento, o prazo de viuvez...; e de condições de forma: respeito por certos interditos, formalidades anteriores, modalidades de celebração, provas de contrato oral ou escrito, condições de separação.

Nas sociedades arcaicas, a escolha do cônjuge pertence geralmente aos membros mais influentes dos grupos de parentesco respectivos, e a forma como se efectua essa escolha varia consideravelmente segundo as sociedades, podendo ir de uma promessa de casamento com a próxima criança que nascer até ao rapto real ou simulado. Entre os Moaves da América do Norte, um homem casava com uma rapariga ainda bebé e tomava conta dela até ela estar em condições de cumprir os seus deveres conjugais. Mas geralmente, segundo Murdock, a escolha opera-se por ordem decrescente, segundo os critérios seguintes: 1) o etnocentrismo: no interior da etnia; 2) a exogamia: fora do grupo de parentesco; 3) a afinidade; 4) a harmonia das idades.

Em toda a parte, a regra da exogamia (proibição de casar com determinados parentes) reveste-se de uma importância capital. Entre os Samos do Burkina Faso, estudados por F. Héritier, a escolha do cônjuge é proibida em quatro ou cinco linhagens determinadas pela própria pertença de linhagem de Ego, pela união dos seus ascendentes e pela de certos membros da sua linhagem. De facto, as proibições matrimoniais fundamentam-se menos em factos biológicos do que na ideologia do parentesco e variam de uma sociedade para outra. Geralmente, quanto mais pequeno é o grupo de parentesco, maior é a tendência para praticar a exogamia.

Deve distinguir-se este termo dos seguintes: 1) a **hipergamia** é a preferência matrimonial concedida por uma mulher a um cônjuge de estatuto e de condição económica superiores. Na Índia contemporânea, esta forma de casamento tem por efeito favorecer a mobilidade ascendente e tornar flexível a regra da endogamia de casta; 2) a **hipogamia** é ilustrada pelo caso de mulheres de sangue real, que são coagidas a casar com um cônjuge de estatuto inferior; 3) a **homogamia ou isogamia** é a escolha do cônjuge em meio social, geográfico e cultural idênticos ao seu próprio meio.

c) *Formas de troca*

Se a troca de mulheres, à semelhança da troca de bens, tem por função alargar as redes de relações sociais, acontece que pode ser prescrito um casamento preferencial, especialmente

Troca generalizada

H: homem
M: mulher

↪ sentido do dote
das mulheres

A, B, C, D, ... N
são clãs

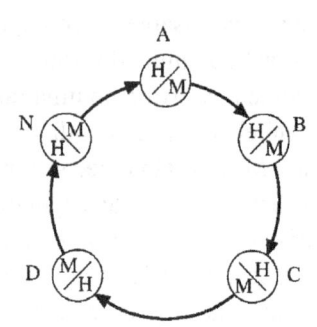

entre primos cruzados. Entre os Karieras da Austrália, por exemplo, divididos em duas metades patrilineares e em quatro secções por interferência de uma regra matrilinear, *Ego* casa geralmente com a filha do irmão de sua mãe, que é também filha da irmã de seu pai. Uma mulher é dada a um grupo que, por sua vez, dará ele próprio outra mulher. É a **troca restrita**.

Na **troca generalizada**, sob a sua forma fundamental, *Ego* casa-se somente com a filha do irmão de sua mãe (ex. Trobriandeses da Melanésia) mas a reciprocidade pura das linhagens é quebrada na medida em que o grupo B, dador de mulheres ao grupo C, só é recebedor em relação ao grupo A. O sentido da dádiva das mulheres não varia em cada geração. Entre os povos árabes, o casamento preferencial tem lugar entre primos paralelos: sobretudo filha do irmão do pai.

Quando, de grupo para grupo, uma mulher é dada por troca com outra mulher, seja imediatamente seja com o prazo de uma ou várias gerações, fala-se de troca directa. Quando uma mulher é compensada por um símbolo reconhecido ou dote - vaca, objectos, soma de dinheiro - fala-se de **troca indirecta**.

Este dote ou compensação matrimonial, frequentemente pago por fases, pode incluir prestações de trabalho do noivo e tem valor de prova de aliança. Considerado erradamente como o preço de compra de uma mulher, deve ser interpretado como uma medida de publicidade, uma demonstração de riqueza visando o prestígio e garantia contra um divórcio, caso em que deverá ser reembolsado. O dote simboliza a aliança dos clãs, a troca dos valores. Reunido pelo noivo e pelos seus parentes simultaneamente (quando de um primeiro casamento), o dote, em África, comporta duas partes. A parte paga aos pais da noiva constitui para eles uma indemnização pela privação dos serviços agrícolas e caseiros que a filha desempenharia, caso ficasse com eles. É também uma espécie de direito de apropriação de uma filha sua, o preço da cedência de um poder legal e sua transferência para o marido. A parte paga à esposa deve ser entendida como um testemunho de amor, uma generosa oferta que corresponde à oferta da pessoa e como indemnização, para alívio dos futuros incómodos da gravidez e da maternidade, infligidos pelo homem à mulher.

d) *Casos particulares de casamento*

Muitas sociedades poligâmicas decretam regras diferentes para o casamento primário (a primeira união de um indivíduo corresponde a um critério de escolha preferencial) e para o casamento secundário (toda a união contraída mais tarde, de entre um leque variado de cônjuges possíveis). Algumas dessas regras impõem ou recomendam o **levirato** – disposição segundo a qual a viúva ou as viúvas casam com um irmão do marido falecido - ou o **sororato** – regra que obriga o viúvo a casar com uma irmã solteira da esposa falecida.

O casamento reveste, assim, formas muito diversas. As mais curiosas serão os casamentos entre mulheres e os casamentos com um morto. Entre os Iorubas da Nigéria, uma mulher de alta estirpe casa com outra mulher, a quem oferece um dote e que um amante masculino irá engravidar; a mulher nobre será o "pai" das crianças e transmitir-lhes-á, de acordo com a regra patrilinear, o seu apelido, a sua categoria e os seus bens.

Entre os Nueres do Sudão, uma mulher estéril, tratada como "tio paterno", paga um dote por uma jovem e desposa-a legalmente. Escolhe um homem para coabitar com a dita esposa, mas os filhos serão seus, pois foi ela quem pagou o dote. Ainda entre os Nueres, uma mulher pode casar com um morto sem descendência (casamento fantasma legal). Os filhos do marido substituto serão legalmente os do morto, pois o parceiro sexual da mulher retirou dos rebanhos do defunto o necessário para o dote. Em resumo, o que conta não é o progenitor mas a legalidade consuetudinária, sancionada pelo pagamento do dote.

e) *A sexualidade periconjugal*

Se a legalidade do casamento, por vezes, deprecia a sexualidade, qual é a expressão dessa sexualidade nas relações pré- e periconjugais? Geralmente, não se considera que o sexo seja um mal, mas sim que deve ser relegado para os limites de determinadas relações permitidas, conforme o grau de parentesco, o estatuto social, o período considerado, etc. Murdock assinala que uma parente casadoira tende a ser, antes do casamento, uma parceira sexual permitida, e, em 70% das sociedades que estuda, observa certa liberdade pré-conjugal, o que o leva a deduzir que, nestas sociedades, o sexo não é a força mais poderosa que conduz as pessoas ao casamento, pois a cooperação económica tem um peso muito maior.

Os Muriás da Índia central, na puberdade, gozam de uma grande liberdade sexual, mas o costume proíbe o casamento dos amantes. Um homem casa com uma mulher que sabe ter sido amante do seu vizinho. Os jovens guerreiros massais da África oriental, que viviam em associações regulamentares e não estavam autorizados a fundar família, podiam manter relações sexuais com raparigas adultas de categoria correspondente à sua. Aliás, certas festas (Saturnais, Lupercais, em Roma) da fertilidade, de casamento ou de funerais são consideradas como tempos à parte, que permitem a liberdade sexual.

Por estranho que pareça, os Trobriandeses de filiação matrilinear, observados por Malinowski, "ignoravam" a paternidade fisiológica. É o espírito que torna fecunda determinada relação sexual, entre outras. Da mesma forma, entre os Neocaledónios descritos por Leenhardt, o marido é considerado como roborativo (que corrobora, que confirma) e não como genitor. Pelo contrário, tanto nas ilhas Dobu da Papuásia como entre os Baruias da Nova Guiné, que são patrilineares, o que é minimizado é o contributo da mãe na concepção.

Durante a vida matrimonial, o adultério é uma proibição que se infringe. Mais de metade das sociedades de amostragem de Murdock admite o acto sexual, após o casamento, entre o cunhado e a cunhada. Pelo contrário, o empréstimo de mulheres e a hospitalidade sexual encontram-se raramente. Entre os Tupi-Cavaívas do Brasil central, o chefe empresta de boa vontade as suas mulheres, que podem ser irmãs, aos irmãos mais novos, aos seus cortesãos, aos seus hóspedes. Entre os Vunambales do Noroeste australiano, um marido aceita geralmente, no decurso de determinadas cerimónias, emprestar a mulher a um participante da festa. Semelhante hospitalidade é conhecida na Lapónia.

No seio do casal, marido e mulher submetem-se a uma etiqueta sexual e observam determinadas restrições periódicas; na África, geralmente durante a menstruação, a gravidez e a amamentação; no entanto, os Azandés prescrevem a cópula durante a gravidez, para favorecer o crescimento do feto. Conforme as sociedades, a continência poderá ser exigida antes ou depois de expedições militares, da ceifa, da caça, do fabrico de certos produtos, determinados jejuns rituais e cerimónias religiosas.

f) *A proibição do incesto*

Para lá destas proibições temporárias ou facultativas, existe uma absolutamente capital: a proibição do incesto, interdito social da relação sexual entre dois indivíduos de sexo diferente, devido a um laço estreito de parentesco. São proibidas, em todo o lado, as relações sexuais entre pais e filhos, entre irmãos e irmãs, excepção feita nas famílias principescas, onde o casamento entre irmão e irmã era considerado como não sujeito ao estatuto comum: os Ptolomeus do Egipto, os Incas, os Havaianos, os Nioros do Uganda...; entre gémeos de sexo oposto: no Bali...;

entre pai e filha: os Azandés, da África central...; entre avô e neta: alguns grupos Bacongos...

O campo da proibição varia conforme os povos, cobrindo por vezes parentes por aliança: genro ou nora de *Ego*, cônjuge do tio ou da tia, mulher do filho defunto...; parentes por filiação: prima em qualquer grau, cruzada ou paralela...; relações simbólicas: companheira da mesma classe de iniciação, entre os Nueres do Sudão, ou irmã de uma mulher com a qual *Ego* já copulou, entre os Euas do Togo. Em algumas tribos índias, pode existir proibição de casamento, sem por isso haver proibição de relações sexuais pré-nupciais, mas a maior parte das vezes há coincidência entre as duas restrições de aliança e de relacionamento sexual. Um incesto conhecido é geralmente punido mais pela desonra do que por uma pena grave.

A ideia defendida por L. Morgan e H. S. Maine, segundo a qual a proibição do incesto visa proteger a sociedade contra os efeitos nefastos da consanguinidade, não resiste à análise: uma tal clarividência eugénica só aparece no século XVI europeu, e a reprodução endogâmica tanto pode produzir sobredotados como débeis mentais.

Retomando um preconceito popular, Westmarck pensava que a habituação de pessoas que vivem juntas provoca uma ausência de atracção, talvez até uma repulsa. Mas se a aversão pelo incesto - não comprovada - é quase natural, por que motivo as sociedades se preocupam em interditá-lo tão rigorosamente? Freud, pelo contrário, sublinha a generalidade do complexo de Édipo, mas só apresenta hipóteses não verificáveis de desejos incestuosos recalcados e de culpabilidade vinda dos confins dos tempos.

Explicar, como Lévi-Strauss, que o tabu do incesto tem por função alargar as relações sociais e impedir a explosão de conflitos no seio da família, constitui apenas um argumento plausível, que não explica o facto de a proibição assumir formas tão variadas.

g) *A família*

Conjunto dos aparentados vivendo debaixo do mesmo tecto, a família apresenta-se sob formas diversas. Nuclear, restrita ou conjugal, quando compreende um casal e os filhos de menoridade, embora por vezes pessoas suplementares possam residir com eles. A família alargada é composta por várias famílias nucleares. Habitualmente, numa família patrilocal, encontra-se um homem idoso, a sua mulher ou as suas mulheres (na família poligínica), os filhos solteiros, os filhos casados assim como as mulheres e os filhos destes últimos. A casa pode abrigar indivíduos não-membros da família. Uma vez que qualquer família se reestrutura por nascimento, morte, casamento, divórcio..., em conjuntos temporários e flutuantes, convém distinguir a família de orientação, aquela em que *Ego* nasceu e onde passou a sua infância (pai, mãe, irmão, irmã), e a família de procriação, a que ele funda ao casar (marido, mulher, filho e filha). Nesta organização familiar, os laços são ao mesmo tempo os do sangue e os do parentesco por aliança.

Qualquer família com origem no casamento tem certamente uma **função de reprodução**, na medida em que assegura a perpetuação biológica da linhagem; mas também uma **função de educação e de socialização** dos filhos para a perpetuação da cultura; uma **função económica** para a perpetuação da vida e satisfação das necessidades vitais, mas com uma divisão de tarefas variáveis conforme as sociedades; uma **função jurídica**, na medida em que é uma pessoa civil ou moral (família-instituição), proprietária de objectos, dotada de direitos e deveres e, portanto, responsável; uma **função religiosa**, em numerosas sociedades do Terceiro Mundo, onde o pai oficia neste foco de culto. Ela une os seus membros através de uma rede de direitos e proibições sexuais, assim como pelos sentimentos do amor, respeito, temor.

Outrora, o estatuto social do indivíduo dependia mais da posição da sua família do que das suas realizações pessoais. Até ao século XIX, a família na Europa apresentava-se no seu aspecto doméstico como uma família alargada; hoje, com os numeroso casos de concubinato temporário, pode incluir cada vez mais filhos naturais. Na África, não é raro que os filhos adulterinos de uma mulher casada em sistema patrilinear estejam ligados ao marido desta, seu pai sociológico. Na África, na Polinésia, entre os Índios do noroeste da América, é frequente que uma criança seja colocada numa ama ou então adoptada (*fosterage*) em famílias aparentadas, como acontecia na família feudal europeia. No Burkina Faso, nas grandes famílias mossis, os filhos das co-esposas são repartidos, após o desmame, e são entregues às mulheres estéreis ou às que perderam os seus próprios filhos. Uma vez adultos, estes reconhecem como mãe aquela que os criou. A evocação das co-esposas remete evidentemente para o sistema de poligamia.

h) *A poligamia*

Por oposição à monogamia, união matrimonial entre um só homem e uma só mulher, a poligamia é o estado de casamento de uma pessoa (homem ou mulher) com vários cônjuges. O primeiro casamento obedece geralmente a regras mais restritas do que os casamentos subsequentes, ditos secundários.

A poliginia designa a aliança matrimonial de um homem com várias mulheres, que têm simultaneamente o estatuto de esposas vivas legítimas. Distingue-se a pequena poligamia (duas ou três esposas, quatro no máximo, segundo o Islão), e a grande poligamia, geralmente apanágio dos chefes. As finalidades das estratégias matrimoniais poligínicas são de ordem: 1) **demográfica:** perpetuar o clã, fornecendo-lhe uma numerosa progenitura; 2) **económica:** aumentar a força de trabalho do grupo, portanto, acumular em consequência o património, os dotes e garantir a segurança dos pais na sua velhice; 3) **política:** constituir uma área de paz, alargando a rede de famílias aliadas; 4) **religiosa:** trazer para o lar os deuses protectores dos clãs a que as esposas pertencem; 5) **psicossocial:** conferir ao polígamo um estatuto de prestígio que se reflecte em cada uma das suas esposas; **6) psi-**

cossociológica: ter a possibilidade de satisfazer as suas necessidades sexuais com uma das mulheres, quando outra estiver proibida de relações conjugais, desde o início de uma gravidez até ao fim da amamentação, como é frequente na África.

Os partidários da monogamia criticam geralmente os abusos da poliginia: exploração económica da mulher, conflitos entre as co-esposas, rivalidades entre filhos de leitos diferentes, favoritismo do marido, açambarcamento das raparigas por adultos idosos, condenação a um celibato forçado, até licencioso, de rapazes que não encontram raparigas disponíveis. A poliginia sororal é o casamento de um homem com várias irmãs.

Chama-se **poliandria** à união matrimonial de uma mulher com vários homens simultaneamente. Entre as raras sociedades que a praticam por penúria de mulheres, muitas vezes consequência do infanticídio das raparigas, a mais conhecida é a dos Todás da Índia. A poliandria fraterna (vários irmãos têm a mesma esposa) pratica-se tanto entre eles como entre certos grupos, no Tibete, mas o título de pai só é reconhecido a um deles e sucessivamente, após o cumprimento de um ritual de atribuição da paternidade. Entre os habitantes das ilhas Marquesas, na Polinésia, os maridos não são irmãos e vivem em casas separadas. A maioria das sociedades tradicionais considera o celibato como uma maldição.

IV - A TERMINOLOGIA DO PARENTESCO

a) *Distinções essenciais*

As nomenclaturas de parentesco, simples categorias, constroem-se a partir de dois pares de distinção: termo de referência ou termo de endereço, sistema descritivo ou sistema classificatório.

1) Particularmente importantes para os antropólogos, os ter-

mos de referência ou de denotação de um laço de parentesco com *Ego* (filha, nora, irmã), devem ser diferenciados dos termos de endereço para interpelar um parente com mais ou menos familiaridade (mamã, paizinho, titio, mana, filhote), que interessam mais aos psicólogos. Um registo mais completo do que estes termos de endereço é coberto pelos termos de referência quer elementares (pai, sobrinho), quer derivados (avô, cunhada). Na linguagem corrente, produzem-se por vezes deslizes lexicais: um homem chama "meu filho" ao filho do primeiro leito de sua mulher e "mãe" ou "mamã" à sua sogra.

2) Os termos de parentesco tanto podem ser **descritivos** (ditos também denotativos) - remetendo para uma única categoria de parentes definidos pela geração, o sexo, o laço genealógico: pai, marido, mulher, irmã - como **classificatórios**, quando pessoas que não ocupam a mesma posição em relação a *Ego* são classificadas sob o mesmo nome: *Ego* chamará "irmãos" aos seus primos paralelos ou então aos co-iniciados. Pelo termo "pai", poderá designar todos os homens da mesma geração que o seu próprio progenitor, que foram cônjuges possíveis de sua mãe.

Pensava-se outrora que o sistema descritivo era o dos civilizados e o sistema classificatório o dos primitivos, sem se ter reflectido bem em tudo o que o nosso próprio sistema tem de classificatório: primo é um termo genérico, cunhado é para Ego o irmão de sua mulher e também o marido de sua irmã, tia tanto é a irmã de seus pais como a mulher dos seus tios. A. Kroeber demonstrou que todos os sistemas de parentesco fazem uso de termos classificatórios. Em média, existem, em cada língua, 25 a 30 termos de referência para várias centenas de relações de parentesco. Quanto menos termos de referência uma língua possui, mais ela é classificatória, não necessariamente primitiva. Esta noção de sistema classificatório, elaborada por Morgan, revelou-se fecunda, mas, ao contrário do que ele pensava, aplica--se a qualquer sociedade. Desde os parentes mais próximos até aos mais afastados, a terminologia passa do descritivo ao classificatório, do preciso ao impreciso.

b) *Critérios das nomenclaturas*

Quais são os critérios de precisão a ter em conta nas diversas nomenclaturas?

Aos seis primeiros critérios reconhecidos por Kroeber e Lowie, Murdock acrescenta outros três:
1) **Geração:** distinguem-se pai e avô, tia e sobrinha, mas o termo "primo" negligencia a geração; 2) **sexo:** tio-tia, cunhado-cunhada, com certeza; mas, sem precisão: netos, netas; 3) **aliança:** genro, nora, cunhada; mas "tio" pode ser irmão do pai ou marido da tia da esposa; 4) **colateralidade:** termo utilizado com a junção de um adjectivo (tia paterna ou materna), especificado em outras sociedades por palavras diferentes, conforme se trata do lado paterno ou materno; 5) **bifurcação:** em certas sociedades distinguem-se os parentes masculinos do lado do esposo e os do lado da esposa, quer dizer, leva-se em conta o sexo da pessoa que serve de traço de união entre *Ego* e eles; 6) **polaridade:** em toda a relação social existem duas pessoas, e daí dois termos distintos do ponto de vista de *Ego*; o tio diz "meu sobrinho" e, inversamente, o sobrinho diz "meu tio"; 7) **idade relativa:** certas sociedades distinguem, com dois termos diferentes, por exemplo, as mais velhas e as mais novas entre as irmãs do pai; 8) **sexo da pessoa que fala:** sociedades como os Haidas do Canadá ocidental, para designar o pai, têm dois termos diferentes, um reservado aos filhos outro às filhas; 9) **morte:** após a morte de uma esposa, por exemplo, a designação por *Ego* de sogro ou de sogra modifica-se, e vários interditos são levantados, por exemplo, o de desposar a irmã mais nova da falecida.

Demasiado complexos para uma primeira abordagem da etnologia, os tipos de terminologia esquimó, havaiano, iroquês, sudanês, omaha, crow,... serão deixados de lado. Fique-se a saber, no entanto, que a nomenclatura na Europa, particularmente em França, se liga ao tipo esquimó, que a terminologia crow é frequentemente associada a uma filiação matrilinear e a terminologia omaha à filiação patrilinear. Também de lado ficarão as regras de atribuição dos nomes próprios de acordo com o sistema de herança, de clã, de padrinhos, de vivos e de mortos. Através de que meios são então determinadas as nomenclaturas de parentesco? Pela história, pela língua, pelos processos psicológicos, pela composição dos grupos de parentesco, pelos costumes do casamento preferencial, tal como por constantes culturais particulares.

c) *Parentela e genealogia*

Diferentemente do parentesco - órbita em redor de um antepassado - a parentela é uma órbita em redor de *Ego*. É o conjunto de consanguíneos que um indivíduo reconhece bilateralmente como seus parentes, o que depende da amplitude do campo da memória. Só irmãos e irmãs têm a mesma parentela e, por consequência, para com estes parentes reconhecidos, obrigações de apoio mútuo conforme as circunstâncias, participação nas cerimónias familiares importantes (baptismo, funerais, reuniões).

Rede de laços de consanguinidade tal como a genealogia, mas de significado jurisdicional e não de relação sociocultural vivida! Tal como os ocidentais, através do uso da árvore e das suas ramificações, valorizam o quadro genealógico (ou a linhagem), assim também outros povos não lhe atribuem qualquer importância e tomam por referência a sua autoctonia, a sua relação com a terra (ser daqui ou de outro lado, de preferência a estar ligado à árvore).

V - A RESIDÊNCIA

A regra universal de coabitação dos esposos arrasta consigo uma alteração da residência de pelo menos um de entre eles, quando do seu casamento, o que em parte explica a edificação das comunidades locais. Os principais tipos de residência são os a seguir descritos.

A mulher instala-se na casa dos pais de seu marido (**patrilocal**) ou em casa de seu marido, numa casa vizinha dos pais deste (**virilocal**); o marido vai viver com a sua mulher na casa dos pais desta (**matrilocal**) ou nas proximidades, num *habitat* distinto (**uxorilocal**). Deve notar-se que patrilocal e virilocal são muitas vezes utilizados no mesmo sentido, o mesmo acontecendo com matrilocal e uxorilocal. O casal tem a liberdade de viver em casa dos pais de um ou outro dos cônjuges, podendo a escolha ser ditada pela riqueza, pelo estatuto respectivo das famílias ou pelas preferências pessoais (**bilocal**); o casal reside alternadamente no grupo do marido e no grupo da mulher (**ambilocal**); o casal escolhe domicílio onde bem entende, em lugar diferente daquele em que cada um vivia antes do casamento (**neolocal**); o casal vai viver com um tio materno do marido ou nas proximidades (**avunculocal**). Nas residências matrilocal e avunculocal, são os parentes em linha feminina e sua família que vivem juntos.

Podem existir tipos de residência transitória, e bem assim combinações muito variadas entre filiação, aliança e residência. Uma desarmonia fundamental entre os Ndembos da Zâmbia resulta, por exemplo, da associação de filiação matrilinear e de um casamento virilocal. O que significa que a matrilinearidade não implica necessariamente a residência matrilocal e que o grupo residencial pode englobar qualquer espécie de organização familiar. Na residência patrilocal, a mulher continua a explorar os seus conhecimentos técnicos adquiridos numa casa e para a casa, enquanto na residência matrilocal o homem deve familiarizar-se com um novo meio ambiente e partir do zero num novo enquadramento, onde deve reaprender a localização das pistas, das referências, das jazidas de minérios, dos bosques, das tocas, dos terrenos de pastagem ou da pesca. Daí a tendência para não se contrair casamento muito longe da aldeia de origem. Apresentada como uma regra de pertença, a residência é antes um grupo de actividades comuns de aliados, na ocupação de um território familiar.

VI - AS ATITUDES ENTRE PARENTES E ALIADOS

Entre membros de uma mesma família, as atitudes dependem evidentemente do tipo de filiação (autoridade do tio materno nas sociedades matrilineares, ou comportamento afectuoso e condescendente deste tio, chamado por vezes "mãe masculina", nas sociedades patrilineares), mas também de costumes estabelecidos socialmente, por exemplo o parentesco de evitamento, que envolve a obrigação de evitar os contactos físicos, os encontros à distância com determinados parentes (por vezes, a sogra), ou a obrigação, nos parentescos de troça, de dizer graçolas, obscenidades ou pregar partidas sem animosidade, como prova de simpatia e mútuo entendimento. O tabu contra a sogra, estudado por Freud, esconjura uma relação sexual que seria perigosa para a unidade familiar. Entre pessoas de sexo diferente, especialmente entre cunhados e cunhadas que poderiam ter sido cônjuges de Ego, os gracejos abordam frequentemente o sexo. Entre os Dogões, prescritas ritualmente, os parentes proferem licenciosidades verbais e troca de insultos, sem que isso dê motivo para zangas. Gracejar com o tio materno é, muitas vezes, uma obrigação ritual nas sociedades patrilineares.

Na célula nuclear de parentesco definida por Lévi-Strauss, podem ser analisados os quatro tipos de relações fundamentais (filiação, aliança, germanidade, avunculato), repartidos em dois pares de oposição. Se as relações entre irmãos e irmãs são de afecto e de familiaridade, a relação entre marido e mulher é mais de distância e de autoridade, ou vice-versa. Da mesma forma se opõem estruturalmente as atitudes entre tio materno e sobrinho e as atitudes entre pai e filho. Em muitas sociedades, também se notou a oposição frequente das gerações contíguas (pais-filhos) e, pelo contrário, a familiaridade entre gerações alternadas (avós-netos).

Se globalmente as relações no interior da família são de cooperação recíproca, de fidelidade, de solidariedade e de afecto, é necessário aprofundar a análise, perguntando-se, por exemplo, o que diferencia as relações pai/filho e pai/filha, irmão/irmão e irmão/irmã e relacionando as atitudes com o **grau de parentesco: 1) de primeira ordem:** cônjuges, germanos, pais/filhos; 2) **de segunda ordem:** pai do pai de *Ego*, irmã da mãe, mãe da esposa, filho do irmão, marido da filha; 3) **de terceira ordem:** primos germanos, marido da irmã do pai de *Ego*, filha da irmã da esposa... Não se deve esquecer que as relações são desiguais conforme a idade, o sexo, o grau de parentesco e que as partes esperam uma da outra um comportamento diferente, que os graus e formas de autoridade são variáveis (um filho Tallensi do Gana não irá espreitar o celeiro paterno, sob pena de sanções sobrenaturais; seria como pretender ser controlador do pai), que se brinca com as regras, como aqueles pais trobriandeses descritos por Malinowski, que dão a seus próprios filhos algumas vantagens que, em princípio, deveriam ir para os filhos da sua irmã.

Entre estas atitudes prescritas, algumas há que se inscrevem num quadro cerimonial, por exemplo, a *couvade*(*), que leva o homem a partilhar as incompatibilidades de sua mulher grávida. Simula em seguida o parto, ou então, durante este, mantém-se separado do grupo. Deve observar preceitos alimentares e de não-trabalho, para não prejudicar a criança.

VII - A HERANÇA E O PODER

Embora a herança acompanhe geralmente os laços de parentesco, é necessário distinguir entre a sucessão - que é transmissão de posição, de cargos de autoridade e dignidades sociais - e a herança propriamente dita de bens e de direitos de propriedade. Os direitos à sucessão podem ser patrilineares, mesmo se a

---

* Costume cuja descrição remonta a Estrabão e segundo a qual o homem se comporta como se fosse ele que tivesse transportado e dado à luz a criança de que é progenitor. (N. do T.)

sucessão tem dominância matrilinear. Conforme as sociedades, é concedida prioridade quer aos germanos do defunto, quer aos filhos. Quanto à herança dos bens, sabe-se qual é a importância da apropriação e da transmissão da terra nas sociedades rurais. No Béarn, antes de 1914, segundo P.Bourdieu, havia uma correlação entre a lógica das alianças e a transmissão dos bens, de forma a não comprometer a integridade do património. Na família-tronco, estudada por Le Play há um século e meio, a transmissão integral dos bens da família ia para o mais velho dos rapazes, que se casava e permanecia na casa paterna. Irmãos e irmãs também ficavam, como celibatários, ou então deixavam a casa e recebiam um dote que compensava a sua renúncia à herança.

No regime matrilinear, os direitos de propriedade raramente são entregues às mulheres, embora os bens se transmitam de homem para homem através delas. Estes bens passam habitualmente de irmão para irmão, e, por morte do último sobrevivente, para o filho de uma irmã. O sobrinho herda do tio materno; muito raramente o filho herda do pai.

Em geral, determinados objectos, como o vestuário e os apetrechos de trabalho, são propriedade exclusiva do sexo que os utiliza, enquanto outros, como dinheiro e objectos de valor, são susceptíveis de ser transmitidos a um ou outro dos sexos.

Em toda a parte, a autoridade da família é entregue ao homem: ao irmão da mãe, nas sociedades matrilineares. Em toda a parte, estratégias de poder e lutas de influência passam pelas redes de parentesco. Quando é conveniente introduzir a ideia de chefe na linhagem, esta chefia não ultrapassa as fronteiras do grupo de descendência. A riqueza e a influência de um homem poderoso melanésio atraem a clientela ao interior do parentesco mas agem igualmente sobre os vizinhos, que respeitam o seu poder.

VIII - CONCLUSÃO: DINÂMICA DO PARENTESCO

Para facilitar a compreensão dos fenómenos de parentesco, os antropólogos procuraram modelizá-los. O que acontece, porém, quando *Ego* não tem tios maternos, quando não tem primas cruzadas para um casamento preferencial, quando, nos sistemas leviráticos, o falecido não tem irmãos? As normas e os comportamentos coincidem tanto quanto a ideologia e a prática. Entre os modelos representacionais (o que as pessoas dizem) e as interacções reais (o que as pessoas fazem) existe um fosso que dá conta dos desajustamentos e da dinâmica de um sistema. Modelos e normas entram no número dos recursos a manipular. Em toda a parte, o homem interpreta e transforma as regras da sua cultura. Mesmo que estas estejam prescritas como numa gramática, a liberdade encontra maneira de se insinuar no jogo das combinações. O indivíduo pode activar determinadas regras e abafar outras, acentuar a sua qualidade de agnado (descendente do mesmo antepassado através dos homens) e de próximo, ou então fazer valer a sua riqueza e a sua posição política.

Quando determinadas condições estão reunidas, um grupo utiliza um traço da estrutura social dos seus vizinhos, por exemplo, naquilo que envolve a herança. Se a adaptação a novas circunstâncias ecológicas, demográficas, políticas ou económicas, se opera por tentativas, é geralmente no sentido de uma tendência para a integração dos elementos culturais e por séries de pesquisas de equilíbrio.

Diferentemente da linguagem, da tecnologia, dos ritos, o parentesco comporta um número restrito de variantes. Muda menos rapidamente do que as outras instituições. Apesar disso, sob a influência da religião, o casamento é o primeiro afectado entre os traços de parentesco: passagem à monogamia entre os católicos, passagem ao casamento preferencial com a filha do irmão do pai entre os muçulmanos curdos da Ásia e os cababiches da África. O processo de evolução após o casamento, tem início geralmente ao nível da regras de residência. Na maioria das sociedades, o neolocal ganha terreno. Os índices de fecundidade podem baixar, como os próprios casamentos; operam-se modificações na escolha do cônjuge, cada vez menos imposto pelos pais; a emigração leva a uma modificação das leis da herança; a arquitectura urbana actua a favor de uma redução das famílias alargadas; sociedades matrilineares, como a dos Bacongos, tendem para a patrilinearidade, pois, segundo o esquema colonial transposto para a África contemporânea, é ao pai dos filhos e não ao tio que são pagos os abonos de família dos funcionários, muitos dos quais tendem a imitar os modelos ocidentais. Quanto ao concubinato urbano, cada vez mais frequente, e à perda de autoridade dos pais, ultrapassados pelo modernismo das jovens gerações, tudo isso age no sentido de uma forte desestruturação do parentesco.

4
ANTROPOLOGIA ECONÓMICA

Este sector da antropologia interessa-se particularmente pelas condições da produção material e engloba, por isso mesmo, problemas de ecologia e de tecnologia. Tem também como objecto as trocas, os direitos sobre os objectos, as formas de utilização e de consumo dos produtos, as prestações de serviços.

A antropologia económica desenvolveu-se recentemente, graças a uma tripla acção: 1) de observação empírica das sociedades não capitalistas, o que obriga a corrigir muitos preconceitos relacionados com o fechamento sobre a auto-subsistência, ou a inexistência de direitos, a não ser os colectivos, sobre a terra e sobre os objectos; 2) de crítica da inadequação dos conceitos utilizados em economia política e pretensamente aplicáveis a todas as sociedades; 3) de compreensão, a partir de comportamentos tradicionais, das desvantagens no desenvolvimento do Terceiro Mundo.

I - RESUMO HISTÓRICO

A economia política clássica apresentou sucessivamente diferentes versões daquilo que contribui prioritariamente para a riqueza das nações. Para os mercantilistas dos séculos XVII e XVIII, é o comércio que permite tomar e vender. Para os fisiocratas, na peugada de Quesnay em fins do século XVIII, somente a agricultura e as indústrias extractivas podem ser consideradas como actividades produtoras. Para Adam Smith e David Ricardo, nos alvores da revolução industrial, o trabalho é a substância fundamental do valor de troca das mercadorias. Para Marx, constitui mesmo a única fonte deste valor, e a mais-valia motriz do capitalismo é o trabalho não pago aos operários, que são privados dos meios de produção e que, para subsistir, só têm para vender a força de trabalho.

No último quartel do século XIX, L. Morgan é um dos primeiros etnólogos a abordar de maneira sistemática as "artes da subsistência" nas sociedades arcaicas. Em toda a corrente evolucionista, levantam-se questões sobre o problema da propriedade, quer comparando os direitos grego, romano, chinês às formas desta propriedade nas sociedades primitivas e nas rurais contemporâneas, quer interrogando sobre a natureza do *mir* (*) russo ou sobre a pertença do solo na Índia, com o objectivo da cobrança de um imposto por parte dos colonizadores britânicos.

Nos anos vinte, os materiais acumulados por R. Thurnwald, F. Boas, B. Malinowski, M. Maus, chamam a atenção para o funcionamento da troca com as suas regras cerimoniais e ostentosas e sobre o facto de que o económico se insere num fenómeno social total, entrando também em linha de conta com o parentesco, a política e a religião.

A ecologia cultural norte-americana, nos anos cinquenta, focaliza as relações entre as sociedades e o seu meio ambiente (caçadores-recolectores, agricultura sobre queimadas, economia pastoril) e acentua as ideias de penúria crónica, de falta de diversidade dos recursos principais, de simplicidade das técnicas e de organizações socioculturais tributárias de acasos climáticos, biológicos ou epidemiológicos.

---

* Comunidade rural que, na Rússia, compartilhava a propriedade da terra e que subsistiu até à Revolução de 1917. (N. do T.)

Mas o grande debate teórico, organizador da antropologia económica, elaborou-se principalmente depois dos anos sessenta entre formalistas, substantivistas e marxistas. Próximos da economia clássica, os formalistas (Burling, Leclair, Salisbury) invocam a existência pretensamente universal das categorias da economia política (crédito, capital, investimento, oferta-procura) fundadas sobre a ideia de maximização das vantagens em lucros, poder, fama, etc., para cada pessoa. Procuram elaborar uma comparação continuada dos diversos sistemas económicos que funcionam a partir das noções de utilidade, raridade e competição; a economia, ao combinar meios que visam alcançar os fins, estaria a fazer um cálculo racional para "economizar" os meios.

Ao invés, os substantivistas negam a validade destas categorias, quando aplicadas a outras sociedades diferentes das que estão organizadas em volta de um mercado para a produção e troca das mercadorias, segundo a lei da oferta, uma vez que a economia primitiva está como que "encastrada" no funcionamento de outras instituições plurifuncionais. K.Polanye, o principal representante desta corrente, salienta a predominância dos mecanismos de reciprocidade, particularmente nas sociedades tribais, e de redistribuição sobretudo nas chefaturas e Estados, diferentes da troca mercantil. Esta troca não passa necessariamente pelos sítios de mercado, mas por "portos de comércio" neutros, embora administrados por um grupo dominante. Não haveria, de facto, simultaneamente raridade dos meios económicos e determinação por parte do não-económico? E que se deverá entender por penúria e abundância?

Para M. Sahlins, a verdadeira sociedade de abundância é a de outrora, com produção doméstica nas economias tribais, onde os meios se ajustam às necessidades e onde o excedente não se explica pelos efeitos da economia mas por outras causas, nomeadamente políticas.

Em França, por volta de 1968, desenvolve-se uma antropologia económica marxista que, ao apagar a imagem do comunismo primitivo, se centra sobre a produção - enquanto até então predominavam os problemas da circulação e distribuição dos bens - e que reexamina as formas que precedem a produção capitalista (forma de produção asiática, de linhagem, doméstica, aldeã...). A forma de produção especifica-se, quer pelo próprio carácter das forças produtivas, quer pela natureza das relações sociais, sem que haja prioridade cronológica ou lógica de um elemento sobre o outro, ao contrário do que pensavam Maine e Morgan, que separavam o estudo das formas de propriedade das condições materiais da produção. Voltaremos a falar da produção, mas convém assinalar já o contributo essencial dos marxistas para a explicação do subdesenvolvimento, pela dependência das sociedades da periferia em relação aos centros, situados nos países desenvolvidos.

Cada vez mais, a antropologia económica beneficia das investigações da etno-história sobre os antigos mercados, sobre os sistemas indígenas do saber sobre economia, sobre os capitalismos em formação no Terceiro Mundo – entre as "burguesias do tractor" e os empresários dos Camarões ou do Zaire –, sobre o funcionamento das economias informais.

II - A ECOLOGIA

Etimologicamente discurso (*logos*) sobre o *habitat* (*oikos*), a ecologia, concebida não como uma ideologia moderna mas como o estudo científico das relações do homem e das sociedades com o seu ambiente natural, interessa-se não apenas pelos efeitos do meio, quer dizer, do clima, do solo, das águas, dos vegetais, da fauna..., sobre o organismo humano, mas também pela adaptação fisiológica do homem aos diferentes meios, às modificações a que as técnicas sujeitam este ambiente e aos impactos que meios variados possam ter sobre os níveis e estilos de vida.

Numa área geográfica submetida a condições físico-mecânicas homogéneas (biótopo) e ocupada por grupos de vegetais e de animais que vivem uns dos outros (biocenose), o agregado dinâmico de todos estes elementos chama-se ecossistema, sujeito evidentemente a transformações. Assim, desde o século XV, a vegetação africana tem sido consideravelmente alterada, visto a agricultura ter-se baseado, a partir daí, na cultura de plantas asiáticas (taro, banana, arroz) ou do continente americano (amendoim, milho, batata, mandioca, cacau).

Existe, pois, interinfluência da natureza (meio físico, património biológico hereditário) e da cultura, que modifica a natureza ao suportar alguns dos seus constrangimentos, mas nada de determinismo geográfico simplista, tal como: a Vandeia é reaccionária porque o granito gera o padre e o Poitou radical, porque o calcário produz o professor do ensino primário. Em qualquer nicho ecológico se verificam ajustamentos, adaptações e lutas pela vida, conforme a relação entre as disponibilidades do meio e a quantidade de população, o crescimento populacional, que leva quer à conquista de outros territórios, quer à modificação das técnicas de utilização do meio.

A localização do *habitat* depende de condições geográficas como a proximidade da água ou de solos férteis, de condições estratégicas para as aldeias cabilas agarradas à montanha, ou de condições históricas na Martinica, por exemplo, onde a exploração da cana-de-açúcar, no século XVII, desenvolveu o povoamento das planícies litorais. O homem inscreve a sua organização social no solo, e, entre nós, instala no centro da vila a igreja e a câmara, enquanto nas ilhas Trobriand, na Oceânia, as palhotas são construídas em círculo, em redor de uma grande praça reservada às festas e ao mercado.

III - A TECNOLOGIA CULTURAL

A tecnologia é o conjunto de processos pelos quais as sociedades actuam sobre o seu ambiente. Recitar uma prece para que chova releva da ritualidade, não da tecnologia. Mas decorar um objecto ou um edifício de acordo com os gostos próprios de uma determinada cultura tem a ver com o estilo de uma técnica.

Utensílios, gestos e saber-fazer são ao mesmo tempo técnicos e sociais.

A. Leroi-Gourhan classifica os utensílios segundo dois critérios: 1) o movimento que os anima: choque, pressão, fricção; 2) a forma de aplicação: ponto, linha, superfície (machado = choque e linha; agulha = ponto e pressão; charrua = fricção e linha; mó = fricção e superfície).

Qualquer técnica põe em jogo quatro elementos: 1) uma matéria sobre a qual actua; ex. as uvas; 2) objectos, utensílios, meios de trabalho, artefactos; ex. a prensa; 3) gestos de um agente ou fontes de energia; ex. o aperto da prensa no parafuso central; 4) representações, saberes e aptidão que subtendem o gesto; ex. o prazer de beber o vinho durante uma boa refeição. Estes elementos entram numa linha operatória ou série de actos técnicos, integram-se num sistema tecnológico próprio de uma cultura, eles próprios dependem de outras técnicas; ex. fabrico do parafuso pela forja, da cuba por um pedreiro, das pipas pelo tanoeiro...

Entre as numerosas tipologias das técnicas, vamos evocar como exemplos apenas as técnicas do corpo (atitudes, posturas, movimentos, respiração na marcha, natação, transporte de um objecto, parto, etc.) e as dos transportes, divididas por Leroi-Gourhan em técnicas de transporte directo (um saco às costas, um cântaro sobre uma rodilha à cabeça), de animal aparelhado (burro, camelo), de arrastamento pelo chão, de rolamento graças a uma ou várias rodas montadas numa armação, de flutuação directa na água ou no casco de uma embarcação. Mas estas classificações de inventário museográfico frequentemente não têm correspondente nas populações estudadas, que avaliam o objecto material em função de proibições, de pressupostos religiosos ou mágicos, uma vez que a cultura material está ligada a uma totalidade cultural. Em função das representações culturais, pode acontecer que determinada técnica (lavagem da roupa na Índia, forja no Mali) esteja reservada a determinada casta ou categoria social, profissionalmente especializada.

A divisão técnica do trabalho pressupõe, portanto, complementaridade no interior de um sistema, mas interessa também algumas especialidades disciplinares. O tecnólogo estuda, na forja, o material e a forma da bigorna, a manipulação do martelo; o fisiologista, o funcionamento dos músculos; o economista, os custos dos produtos e do trabalho; o especialista das religiões, os encantamentos durante a martelagem; o engenheiro, a qualidade do produto acabado.

São múltiplas as perguntas que se põem aos etno-tecnólogos: Por que motivo uma sociedade inventou, copiou ou transformou um traço técnico de preferência a outro? Que ideias e conhecimentos se objectivaram na adopção ou na rejeição de uma técnica? Como se incorpora essa técnica noutras aptidões adquiridas ? Todos estão de acordo quanto às seguintes generalidades: as técnicas constituem apenas os instrumentos da actividade económica e não a sua vida própria; quanto mais as técnicas estiverem adaptadas ao meio, tanto menos se fazem sentir as coacções do ambiente; as relações técnicas, particularmente na habitação, vestuário, alimentação, exprimem relações sociais; o funcionamento social actua sobre o desenvolvimento das técnicas por patamares: invenção, consolidação, transmissão; um dos problemas actuais diz respeito às condições da transferência de tecnologias para o desenvolvimento do Terceiro Mundo: a venda da tecnologia dos TGV (comboios de grande velocidade) à Coreia do Sul abre um mercado, é certo, mas faz correr o risco de se perderem postos de trabalho em França, e possibilita a concorrência das suas produções.

IV - MODOS, FORMA, RELAÇÕES DE PRODUÇÃO

a) *Produção*

Para o marxismo, o princípio de organização da economia não é a repartição mas sim a produção. Todo o modo de produção se define por uma relação específica entre, por um lado, o conjunto dos meios materiais e dos factores que concorrem para a produção numa determinada sociedade – matérias-primas, equipamento e técnicas, o saber-fazer, força de trabalho, capital–, denominados forças de produção, e, por outro lado, as condições sociais da produção, ou seja, as formas de organização económica e de divisão do trabalho segundo a idade ou o sexo, as especializações profissionais, as estratificações ou classes sociais – senhores e escravos, proprietários capitalistas e trabalhadores proletários –, e segundo as formas culturais da cooperação ou da competição, variáveis em função das tarefas, do número de participantes, das remunerações reais ou simbólicas, aquilo a que se chama relações de produção ou condições sociais da produção, que se realizam no quadro das unidades de produção e que dizem respeito à apropriação ou ao controlo dos meios de produção, tais como a terra, os homens, o gado, as técnicas, os recursos financeiros.

C. Meillassoux é dos primeiros a impulsionar as pesquisas de antropologia económica marxista. Na sua opinião, a comunidade agrícola nas sociedades de auto-subsistência polariza-se em redor do filho mais velho, que recebe os produtos do trabalho e os reparte. No quadro agrário, a terra é meio de trabalho. Entre os caçadores-recolectores, ela é objecto de trabalho. O mesmo autor demonstra que o potlatch constitui certamente uma publicidade dos estatutos sociais, mas, através da distribuição ostentosa de excedentes, reduz também as diferenças de categoria e mantém a ordem social. Apontaram ao autor não ter suficientemente em conta a diversidade dos meios naturais e das condições técnicas da produção e de relegar para um nível secundário os fenómenos de parentesco.

Se Meillassoux faz apenas um uso fugidio da noção de modo de produção, E. Terray situa essa noção no centro de toda a problemática, fazendo a sua análise a partir das formas de cooperação. Reconhece a exploração dos mais velhos pelos mais novos, mas observa que estes, pela idade e pelo casamento, são chamados a tornarem-se eles próprios mais velhos, emancipando-se. Assim, não existe uma classe estável de mais velhos. Mais radicalmente, P.P.Rey vê a relação de classe como dominante no modo de produção da linhagem. Acha determinante nas relações de produção o processo de apropriação e de reagrupamento dos homens com vista a esta produção.

M. Godelier, ao debater os modos de produção asiática ou de linhagem, não deixa de sublinhar a parte ideal em tudo o que é real e o jogo dos simbolismos sociais. Demonstra a ligação da economia com as outras instâncias política, parental, religiosa e nota que o parentesco, por exemplo, pode funcionar como infra-estrutura e como supra-estrutura. A rotura de um sistema ou a passagem, por exemplo, da economia de predação à da economia de produção, não a atribui necessariamente a contradições, mas a modificações externas ou internas. O marxismo perde a sua rigidez quando confrontado, particularmente com o pensamento de Polanyi.

b) *Fenómeno social total*

A ligação sublinhada por Godelier, entre a economia e o conjunto da organização social, aparece mais nas sociedades tradicionais do que nas sociedades industriais. Primeiro, produz-se para a família, eventualmente para os vizinhos; os chefes e os anciãos exigem um dízimo, tributos, serviços, trabalho ou dádivas de submissão, em troca de protecção política. No controlo da alimentação intervêm o respeito pelos tabus do clã e as obrigações que se consideram ditadas pelos deuses, pelos espíritos ou pelos antepassados.

Isto significa que a economia não se reduz a uma adaptação ao meio natural, nem à acumulação de trabalho, de bens e de terras visando o lucro, nem tão pouco a satisfação de necessidades materiais, na medida em que tanto o trabalho como a troca ocorrem por motivos imateriais: constrói-se uma bela casa pelo prestígio; trabalha-se para o futuro sogro porque se deseja casar com a sua filha; visa-se maximizar o prestígio político-social produzindo mais e melhores inhames do que os outros e oferecendo-os com generosidade; oferecem-se as primícias aos antepassados; realiza-se um belo trabalho artesanal pelo prazer. Em resumo, trabalha-se não apenas para subsistir mas para satisfazer necessidades imateriais que relevam da ideologia. Nunca uma sociedade poderá viver em autarcia total e sem trocas.

c) *Raridade*

Tal como a ideia de auto-subsistência, também a de raridade deve ser relativizada. No Laos, o solo não é de maneira nenhuma coisa rara; portanto, é fraca a competição dos grupos pela terra! Pelo contrário, num país desértico, há raridade da água e conflitos pela utilização das nascentes! A raridade do sal na Idade Média e o seu difícil transporte explicam a gabela [imposto sobre o sal], até que a tecnologia das salinas tornou o produto corrente e barato! Raridade do tempo entre os primitivos? Nem pensar! O caçador-recolector do Calaári supre as suas necessidades com duas ou três horas de trabalho por dia. O desenvolvimento da agricultura culminou no alongamento do dia de trabalho.

d) *Trabalho*

Será o trabalho a bitola do valor? Se sim, como será possível apreciar com um padrão elástico, que não permite medir a competência, a aptidão, o sexo, o estatuto social, as motivações, o ardor, o tempo de formação? Mais do que o trabalho, os etnólogos preferem analisar as actividades de ordem técnica, mágico-religiosa, estética, política, educativa...

A divisão do trabalho difere, com certeza, segundo os contextos ecológicos, que permitem ou não a colheita ou a pesca, a agricultura na época das chuvas, a actividade artesanal na estação seca. Mas as relações do homem com a Natureza são mediadas por relações sociais de cooperação, de complementaridade, de domínio e de exploração (alguns produzem, outros controlam as condições e os resultados da produção).

A divisão das tarefas é estabelecida segundo os sexos: os

homens, por exemplo, ocupam-se da caça grossa, da guerra, da desmatagem; as mulheres, da colheita, da cozinha, da criação dos filhos, das sementeiras, do transporte das colheitas. Porquê? Questão de maternidade e de fragilidade feminina? Não será antes questão de dominação masculina?

A divisão do trabalho tem também como critério a idade: crianças em casa; rapazes, a iniciarem-se no trabalho do pai; jovens iniciados realizando tarefas de protecção guerreira, de policiamento da aldeia, de animadores das festas, de grupo de entreajuda nos trabalhos agrícolas...; adultos mais novos, trabalhando para os mais velhos, que vão pagar o seu casamento; início de uma certa emancipação de chefe de família; idosos em repouso; antepassados venerados.

Um terceiro critério de divisão do trabalho é a especialização profissional, segundo um sistema de castas complementares, ou de acordo com competências transmitidas, ou ainda conforme as categorias sociais que reservam para alguns funções religiosas, militares ou políticas. Na sociedade moderna, desenvolve-se a divisão do trabalho não apenas em profissões, mas em operações (trabalho fraccionado) e em sectores económicos (primário, secundário, terciário).

O exame das formas de sociabilidade no trabalho permitia a M. Mead distinguir tendencialmente três tipos: 1) *o individualismo*: o Esquimó, durante o bom tempo, procura atingir os seus objectivos sem ter os outros em conta; 2) *a cooperação*: o Tonga do sul de África trabalha com outros, visando um objectivo comum. A cooperação é simples, quando todos fazem um trabalho semelhante, complexa quando os trabalhos são diferentes e complementares. Tal cooperação é remunerada, quer em produtos agrícolas ou com uma refeição festiva; 3) *a competição*: o Quaquiútle do noroeste americano esforça-se por obter o mesmo que os outros obtêm na mesma altura. No império inca, a cooperação ocorria sob coacção, entre as populações submetidas, e o Estado cobrava os seus meios de existência sobre o produto desse trabalho forçado (corveia) . A maior parte das vezes é a família que determina os objectivos da produção e que a organiza com os braços disponíveis e por meio dos transmundos povoados de antepassados e de espíritos.

e) *Propriedade*

O trabalho e os bens serão sempre objecto de apropriação? Se se definir a propriedade como o direito de usar, usufruir e dispor de um objecto de maneira exclusiva e absoluta, o termo aplica-se à instauração, à delimitação e à transmissão de direitos sobre territórios e seus recursos (apropriação da terra), sobre os bens acumulados, utilizados, destruídos (posse de uma ferramenta, de uma casa), sobre as pessoas (escravatura). Deverá fazer-se a distinção entre propriedade de bens materiais e propriedade de bens imateriais (cargo, emprego), entre propriedade colectiva de um clã (território de caça ou de cultivo) e propriedade individual (adornos). Para dizer a verdade, o termo propriedade convém pouco às sociedades primitivas, em que a posse temporária corresponde sobretudo a um direito de fruição ou de utilização. O mesmo bem pode ser apropriado por diversos grupos, que sobre ele têm direitos de natureza diferente. Da terra feudal, o senhor possuía a propriedade eminente e inalienável, os camponeses o usufruto. Daí, as estratégias de apropriação, particularmente dos bens de raiz, interessarem muito à antropologia aplicada à mudança.

V - TROCA E CIRCULAÇÃO DOS BENS E SERVIÇOS

A troca económica faz intervir as noções de contrapartida e de equivalência nas transferências de bens e serviços. Ocorre de forma muito reduzida nas comunidades auto-subsistentes, em que as relações de produção são relações de dependência pessoal e em que o consumo segue geralmente a produção. Desenvolve-se, em função de uma desigual repartição das matérias primas, com a divisão do trabalho, a privatização da propriedade e a generalização do contrato. Na sociedade capitalista, a troca mercantil é o princípio organizador da economia.

Em relação a outras formas de troca – de saudações ou de conversas (troca verbal), de pessoas ou de direitos sobre as pessoas (na aliança ou escravatura por dívidas), de golpes (nas rixas e conflitos armados) –, a troca económica diz respeito apenas aos bens materiais e serviços, mas inscreve-se num contexto social, por exemplo, de ritualização, de compromissos das pessoas entre elas, de comércio...

a) *Dádiva*

F. Boas, B. Malinowski e M. Mauss situaram a troca numa teoria geral da oferta, apoiando-se particularmente nos exemplos do *potlatch* e da *kula*. Através do estudo do *potlatch* (termo nootca), Boas analisa a prática da dádiva ostentatória entre os Índios Quaquiútles, Tlingites, Tchimchianes dos arredores de Vancouver, num contexto de rivalidade entre vários chefes, que fazem valer o seu direito a uma posição superior na hierarquia com investidas de munificência. Acumulam e distribuem cobertores, destroem canoas e placas de cobre, por vezes degolam escravos. Despojam-se de alguns bens, mediante uma contrapartida não material. Não se trata nem de megalomania, nem de empréstimos a juros, mas de uma forma de redistribuir recursos e de fazer reconhecer um estatuto social preponderante. Mesmo nas sociedades modernas, a dádiva generosa e os gastos sumptuários inserem-se numa competição pelo prestígio.

No grande movimento de troca cerimonial (braceletes contra colares de conchas) próprio da *kula*, nas ilhas da Melanésia estudadas por Malinowski, bens de prestígio (entre eles, grandes inhames) circulam segundo ritos exactos e numa base de reciprocidade entre parceiros autorizados, cheios de transacções que incidem sobre bens de consumo. A troca, que implica a obrigação de dar pelo menos tanto quanto se recebeu, sela a aliança das comunidades.

Marcel Mauss sintetiza estes fenómenos no seu *Ensaio*

sobre a dádiva(*) (1924). Define o objecto material em relação ao acto da dádiva como um testemunho de respeito ou de não-hostilidade da parte de um grupo vizinho, como obrigação de oferecer pelo menos o que se recebeu, como transmissão de um bem de consumo esbanjado por prestígio, como impossibilidade de uma actividade própria do grupo sem relação com outro grupo, como participação na força mística (*mana*) do objecto que, ao circular, simboliza a união dos espíritos e dos corações numa sociedade em acto de troca. A partilha é uma forma de dádiva.

b) *Troca*

Para K.Polanyi (1957), as formas fundamentais de troca não mercantil são a reciprocidade e a redistribuição, enquanto a troca e a permuta monetária relevam da troca mercantil. A reciprocidade funciona nas sociedades agro-pastoris, em que a dádiva chama a contradádiva, quer no mesmo momento quer a prazo. As transferências operam-se quer entre dois parceiros, quer entre parceiros diversos em longos ciclos de troca. Diferente da pura reciprocidade, a redistribuição, especialmente nas chefaturas e impérios, é um processo segundo o qual uma instância central reune prestações de bens ou de trabalho (tributo, corveia), depois redistribui os seus frutos aos responsáveis e outros possuidores de direitos, segundo diversas modalidades.

Enquanto a troca - circulação mercantil de bens produzidos para a troca imediata, de acordo com taxas aceites ou negociadas -, ocorre sem a intervenção de moeda, a permuta monetária faz responder uma oferta de bens e de serviços a uma procura solvente.

c) *Comércio*

Analisa-se o comércio em função :
1) do tipo de troca praticado com ou sem negociação de preços,

---

* Traduzido por Edições 70, com o n° 29 da col. "Perspectivas do Homem". (N. do T.)

com ou sem padrão de medida, ou então com padrão variável (uma mancheia de amendoins);
2) dos bens comprados ou vendidos, com ou sem lucro. A barra de sal fabricada pelos Baruias da Nova-Guiné, após secagem de um precipitado de cinzas de plantas, tem valor de uso e de troca com os grupos vizinhos, que dele estão desprovidos. Geralmente, diferenciam-se os bens de subsistência (produtos agrícolas, utensílios, pequenas ferramentas...) e os bens de prestígio, embora uma distinção menos rígida permitisse classificar os bens em categorias hierarquizadas. Assim, os Tives da Nigéria (estudo de Bohannan) não trocavam produtos do solo por gado, escravos ou metal, nem, a *fortiori*, por uma mulher para casar. Nem a terra nem o trabalho eram trocáveis pela moeda. Os produtos alimentares circulam geralmente no interior de áreas restritas limitadas, os produtos raros e de luxo a uma distância muito maior (a rota da seda), e muitas vezes existe incompatibilidade entre diversas esferas de troca;
3) das relações e estatutos sociais. Exige-se menos como contrapartida de um vizinho, do que de um negociante especializado, principalmente se for estrangeiro. Os chefes, na Melanésia, trocam entre eles, de acordo com a sua classe social. Remuneram os mágicos dos jardins segundo uma taxa fixa. O comércio dos Haúças e dos Diúlas da África é apanágio de etnias especializadas. No sul do Togo, as mulheres detêm o monopólio do comércio dos panos;
4) das condições do seu desenvolvimento. Na sociedade asteca do antigo México, agentes especializados, os *pochtecas*, asseguravam o comércio entre os produtos das terras altas: milho, feijão... e os das terras baixas costeiras tropicais: cacau, algodão, plumas de aves para enfeite. Este comércio duplicava a circulação dos mesmos produtos sob forma de tributo ao Estado asteca. Na China tradicional, mercados em rede ligavam os produtores locais à economia nacional, e, dessa maneira, ao mercado mundial.

Antes do século XIX, devido às instabilidades políticas e

aos débeis meios de transporte, o desenvolvimento do comércio manteve-se limitado, excepto na Europa que era senhora das redes de comunicação marítimas, fluviais e terrestres. Embora actualmente uma economia sem interesses se mantenha ao lado de uma economia do lucro, as relações de força no comércio internacional tornam por vezes desigual a troca entre produtos primários do Terceiro Mundo e produtos manufacturados dos países industrializados.

d) *Moeda*

As técnicas de distribuição estão na origem das moedas e do aperfeiçoamento do sistema económico. A moeda serve ao mesmo tempo de medida de valor, de reserva de valor e de meio de pagamento. Distinguem-se os bens monetários (guinéu de tecido, barra de ferro, gado, escravos) que não constituem, como se viu entre os Tives, um equivalente universal, e o numerário como o papel moeda, as peças de prata, os búzios sem valor de uso, salvo por vezes de adorno. Pôde-se falar de moedas cerimoniais, a propósito dos braceletes e colares de conchas da *kula*. Típico das moedas primitivas é conservar um laço místico com os seus proprietários sucessivos ou parceiros recíprocos, obedecer a lógicas referidas aos valores globais de uma cultura particular, onde vários tipos de moedas podem ser simultaneamente admitidas e onde a sociedade não perdeu o controlo dos produtos do seu trabalho. Neste caso, a troca não se orienta para o lucro económico, ao invés da troca no mercado, onde a revenda se opera com lucro e acumulação de capital.

Numa economia multicentrada, a mercadoria, subtraída ao produtor, é despersonalizada como o é a prostituta ou o órgão vendidos em certos mercados modernos, enquanto o anel de noivado, o colar de *kula* ficam marcados afectivamente como um laço com o parceiro, objecto decorativo, recordação de um acontecimento.

e) *Mercado*

Quanto ao mercado em si mesmo, termo que designa ambivalentemente quer o local das transacções quer o princípio do negócio segundo o mecanismo da procura-preço, reveste formas locais, regionais ou de longa distância. Neste último caso, pode ocasionar expedições por razões de segurança, uma administração por tratado entre os poderosos, como acontecia no México no quadro pré-colombiano, num quadro pré-colonial com o tráfico de escravos, e no quadro colonial da África, com o tráfico de produtos como a borracha, o marfim, a madeira, as peles. A obrigação de pagar um imposto, em finais do século passado, obrigou muitas populações do Terceiro Mundo a entrar nos mecanismos do mercado, mas o sítio do mercado local tornou-se simultaneamente lugar de resolução dos conflitos, lugar de informação e encontro de grupos, lugar de celebração de festas e de manifestação das pessoas de prestígio.

VI - CONSUMO

Consumo é a utilização que se faz de um bem (alimentação, vestuário, mobiliário...) ou de um serviço (corte de cabelo, sessão de cinema) comprando-o, apropriando-se dele ou inutilizando-o (alimentação, por exemplo). Este ramo da antropologia económica só recentemente atraiu as atenções, após concentração das pesquisas primeiro sobre a circulação dos bens e serviços, depois sobre a produção. Embora este sector esteja pouco teorizado, os etnólogos e folcloristas desde há muito reuniram informações, muitas vezes incorporadas na tecnologia cultural, sobre as maneiras de se alimentar e de habitar, de se vestir e de se enfeitar, sobre as interdições de consumo, sobre a utilização específica de um objecto por uma categoria social ou uma etnia: ceptro ou bastão dos chefes, iglu dos Esquimós, túnica dos Nueres, uso de um ornamento em forma de crista dos jovens iniciados Coniaguis, proibição de carne de porco entre os Semitas praticantes.

Diversos elementos condicionam este consumo: o grau das necessidades determinadas pela cultura (vinho de palma em África, chá na Inglaterra), o nível dos recursos disponíveis no ambiente (vestuário de casca de árvore batida no Zaire, antes da comercialização dos tecidos), a utilidade dos bens consumidos (*jeans* vulgares ou vestido Christian Dior), o projecto de investimento (consumo imediato ou privação temporária, para aumentar a produção ou o prazer futuro).

Se o consumo satisfaz necessidades específicas, constitui também um factor importante da sociabilidade (convidar para jantar, reunir-se para um concerto *rock*), e de identidade pessoal ou colectiva (vestir-se à *punk*, conduzir um *Twingo* vermelho, ter um barco). Devido aos valores simbólicos concentrados no vestuário, como no conforto ou nos lazeres, o consumo é não só meio de comunicação mais ou menos intenso e frequente entre indivíduos, mas também índice do estatuto social (bebedor de tinto carrascão ou de champanhe) e sinal de distinção (o burguês que se deseja cavalheiro consome, como este, os serviços de professores de dança, de música, de esgrima). O consumo ostentatório afixa uma mobilidade social ascendente, tanto entre as élites do Terceiro Mundo como entre a mulher moderna que se veste *chez Courrèges*. Através dos estilos de alimentação, marcam-se muito particularmente as fronteiras culturais (comedores de massas ou de arroz a todas as refeições, utilizadores de pauzinhos ou de garfo, jantar tardio em Espanha). E embora os hamburguers da Mac Donald's se universalizem, a maioria dos sabores e dessabores relevam de práticas habituais, adquiridas num meio cultural que artificializa o seu ecossistema para evitar a penúria e dispor daquilo que aprecia, cultivando e melhorando determinadas plantas, por exemplo, ou atribuindo valores morais a determinados alimentos; assim, faz-se criação de frangos e não de esquilos africanos.

Como, a partir de agora, abundam as pesquisas de antropologia da alimentação ou dos cuidados de saúde, da mesma maneira se multiplicam as observações diferenciais respeitantes ao arranjo do *habitat* e dos objectos que nele se encontram. O nomadismo em dorso de camelo, no deserto, exige objectos pouco numerosos e transportáveis; noutros sítios a construção de casas utiliza os recursos do ambiente: madeira, pedra, matope com capim, ramos de palmeira entrançados. De acordo com a organização social, pode acontecer que, enquanto num local uma única palhota abriga um grupo de jovens iniciados, noutro cada esposa, visitada à vez por um marido polígamo, tem o seu alojamento separado. No Futa-Djalon guineense, os senhores fulas, criadores de gado, moravam na colina, donde podiam vigiar os seus escravos agricultores, que viviam e trabalhavam no vale. As crenças religiosas ou os símbolos sociais intervêm tanto na escolha de um sítio como nos rituais de construção e de protecção contra os eventuais malefícios.

Nas sociedades modernas, ditas de consumo de massa, os *media* publicitários desempenham um papel importante nas nossas preferências, mais ou menos temporárias, desta ou daquela maneira de se alojar ou de se distrair, de usar cabelos compridos ou de reduzir a ingestão de alimentos com alto valor energético. A estratégia destes *media* consiste em especificar artificialmente e em exasperar as pretensas necessidades, de forma a activar a circulação do dinheiro e os lucros dos produtores de bens e serviços.

VII - ALGUNS TIPOS DE ECONOMIA

a) *Caçadores-recolectores*

Geralmente, as sociedades de caçadores-recolectores, praticando também a pesca, estão organizadas em bandos de 20 a 100 ou 200 pessoas, que praticam o nomadismo em locais de fraca densidade, conforme os recursos animais e vegetais disponíveis. Existem movimentos de ajuntamento e de dispersão do grupo, que correspondem à ausência ou à presença temporária da caça. Nas sociedades em que esta coabita com a agricultura e a criação de gado, a caça é muitas vezes reservada a especialistas.

Diferentemente do que acontece na caça com armadilha, o uso de armas contundentes ou perfurantes é geralmente reservado aos homens e a colheita às mulheres e às crianças. Existe, pois, divisão sexual do trabalho. A caça, muito particularmente, é um período de grande colaboração: na caça de montaria ao veado na Europa, nas caçadas colectivas dos Índios ao bisonte, na caça em pequenos grupos dos Ndembos da África, para favorecer a fertilidade e a fecundidade das mulheres. Este momento simbólico é acompanhado de forte ritualização na preparação das armas, na condução da acção, no afrontamento com o animal, considerado como parceiro (urso, javali), na partilha da caça, de acordo com os estatutos sociais. Em muitas chefaturas africanas, a figura do caçador aparece nos mitos fundadores de uma aldeia, pois ele tem o poder económico de providenciar a alimentação em carne, o poder político, utilizando como caçador e guerreiro uma violência legitimada, o poder técnico como fabricante de armas, o poder cultural pelo seu conhecimento da selva e das plantas, o poder social do homem que veio de longe e que se sedentarizou, ao casar com uma mulher da região, o poder mágico-religioso do sacrificador.

Por segurança metodológica, evitaremos comparar grupos com grandes diferenças culturais (Inuites do norte do Canadá, Bosquímanos do Calaári africano, Aborígenes australianos), embora as técnicas possam ser semelhantes, pois a economia está encastrada no conjunto do social. Fazemos notar que o tempo atribuído ao trabalho de subsistência é fraco e que embora muitos bandos apareçam igualitários, existem também sociedades estratificadas de caçadores-recolectores no Alasca, Sibéria, Califórnia. A ideia-chave de A.Testart (1982) é que o que permitiu a sedentarização e o desenvolvimento das desigualdades económicas, foi menos a agricultura em si do que o armazenamento dos recursos abundantes e sazonais, possível numa economia de caça-recolecção.

b) *Agricultores*

Diferentemente do recolector, o agricultor produz e explora plantas e animais domesticando-os, com um objectivo que ultrapassa a alimentação. Pode cultivar algodão ou linho para o vestuário, madeira para o *habitat* ou para a fornalha de máquinas industriais, determinadas plantas como corantes ou medicamentos, psicotrópicos para uso ritual, flores para a ornamentação. Pela exploração dos terrenos e pelo seu *habitat* sedentário, muitas vezes aglomerado, transforma as paisagens. O agrossistema não pode suportar senão uma carga demográfica com determinada intensidade, devido aos recursos e às técnicas, e depende muito das condições climáticas que podem conduzir à insegurança ou à carência, o que aviva o recurso à magia e à religião, aos ritos e mitos referidos, por exemplo, à terra-mãe ou à água.

Entre horticultores da Melanésia, produtores de inhames e cultivadores de cereais do circuito mediterrânico existem grandes diferenças quanto aos conhecimentos, alfaias, repartição das tarefas, modo de preparação dos campos, fertilização, irrigação, técnicas de sementeira e de colheita, tratamento dos produtos, como demonstraram, entre outros, A. Haudricourt e J. Barrau. Por ordem de importância decrescente, as plantas mais cultivadas do mundo são o trigo, o arroz, o milho, a batata, a cevada e a mandioca. Se o trigo e a cevada foram inicialmente cultivados no Médio Oriente, o sorgo consumido em África é dela originário.

A agricultura, aparecida entre os XIII e VII milénios a.C., em diversos focos, exigiu uma intensificação do trabalho e uma redução dos lazeres, mas as inovações técnicas conheceram ritmos de estagnação ou de recessão. Como é próprio das regras sociais que regem as práticas agrícolas (na época pré-colombiana, no Brasil, as tarefas agrícolas eram essencialmente femininas; no Peru, eram sobretudo masculinas), existem relações sociais que condicionam o acesso aos recursos. Foi principalmente nas sociedades agrícolas que, pelas possibilidades de armazenamento, de retenção dos produtos, de açambarcamento das terras ou dos meios técnicos, se cavaram desigualdades, se elaboraram as estratificações sociais, se desenvolveram os regimes estáticos.

c) *Pastores-criadores*

Embora se fale de criação de animais, não se trata aqui de galinhas, cães, abelhas ou elefantes, mas sim de herbívoros, vivendo em rebanho e domesticados na Europa desde o II milénio a. C.. Tal como se distingue o pastoralismo dos nómadas (Mongóis, Beduínos) e dos transumantes sazonais, vivendo em acampamentos instáveis, do agro-pastoralismo sedentário, mais recente, com cultura forrageira, estabulação ou rancho, também se opõe a gestão colectiva dos rebanhos à da gestão colectiva dos recursos pastoris, embora a apropriação familiar do rebanho coexista quase sempre com a propriedade colectiva das pastagens.

Nas sociedades tradicionais, o gado, avaliado segundo critérios estéticos e de prestígio, circula por empréstimo, como oferta entre parentes e vizinhos, dote, roubo, incursão, ao passo que, nas sociedades modernas, a sua circulação visa um objectivo económico e mercantil. Entre os criadores do Terceiro Mundo ele abastece o consumo, quer dos animais vivos retirando leite, sangue, pêlo, lã, quer abatendo-os, principalmente os velhos ou doentes, para aproveitamento da carne, do couro, dos chifres... Procuram-se garantias contra as catástrofes e epizootias, através de um conjunto de gado graúdo e miúdo. Na África negra, entre os Fulas, os Massais, os Turcanas, os Tuaregues..., o pastoreio em espaços marginais relativamente vazios está separado da agricultura, embora um e outro vivam em simbiose.

Entre criadores e agricultores ocorrem trocas: produtos agrícolas e artesanais contra carne, leite, estrume. Mas os agricultores podem também ser criadores de burros, lamas, bois, cavalos para criação e para sela. Nos sistemas agro-pastoris, o gado graúdo está muitas vezes afastado da aldeia, encerrado durante a noite no interior de sebes espinhosas e protegido contra os predadores. Segue-se, por todo o lado, uma organização do espaço, comportando especificação dos pontos de água, itinerários selectivos, queimadas cujas cinzas favorecem o rebento da erva tenra, por altura das primeiras chuvas.

Vastos impérios (mongóis, almorávidas) foram criados por nómadas expansionistas, a maior parte dos quais são considerados temíveis guerreiros (Tuaregues, Turcanas na África). Alguns de entre eles reduziram os agricultores a escravos (Fulas no Futa-Djalon guineense). Em Marrocos, os pastores rebeldes do Siba semeavam a desordem nos limites do Maghzen governado pelo sultão. Quanto aos recentes estados do Chade, do Afeganistão, encontram muita dificuldade em integrar as tribos nómadas.

VIII - CONCLUSÃO

Convém, pois, insistir na diversidade das economias ditas primitivas, que vão da recolecção e da caça praticada pelos Aborígenes australianos à horticultura meticulosa dos Melanésios, da criação extensiva entre os Massais da Tanzânia à agricultura inca do antigo Peru, fundada sobre a corveia, da troca polinésia às redes comerciais muito elaboradas dos Astecas do México pré-colombiano.

Estes sistemas de produção, demasiado esquematizados em modos de produção, não poderiam ser vistos como fases de uma evolução unilinear. Têm de ser entendidos como processos de adaptação ao meio natural, como complexos de inovações e de empréstimos técnicos, como experiências de solidariedade social. Em ambientes idênticos, o homem responde de forma diferente, de acordo com a sua habilidade e o seu trabalho, e as sociedades conjugam muitas vezes diversos tipos de economia: caça, pesca, pecuária, agricultura.

Estas economias, para as quais não se conseguem estabelecer hierarquias, dispõem de poucas condições técnicas de desenvolvimento e não visam a acumulação do lucro. Os seus recursos principais têm falta de diversidade, ao ponto de um inverno tempestuoso que afaste as focas deixar os Esquimós muito infelizes e uma epizootia que dizime os rebanhos nueres tornar desesperada a situação do grupo.

Estas economias não se compreendem somente em relação ao ambiente, mas na medida em que estão "encastradas" noutras instituições, que podem ter um carácter dominante, tais como o parentesco, a política, a religião. Assim, a antropologia económica situa-se à parte das teorias económicas neomarginalistas (Walras, Pareto), que se focalizam sobre os mecanismos do mercado capitalista no quadro da propriedade privada. A troca mercantil não é o paradigma de todas as relações sociais de troca.

5
ANTROPOLOGIA POLÍTICA

Embora originalmente a política diga respeito à cidade (polis, em grego), cujos membros são os cidadãos participantes na administração dos seus interesses comuns, a acção de governar pode, em muitos casos, ser reservada a alguns indivíduos privilegiados, dispondo de meios de decisão e de execução para garantir a coesão social da colectividade, que não reveste necessariamente a forma de um Estado centralizado. A política tem como função principal resolver eventuais conflitos no interior do grupo e regulamentar as relações do grupo com o exterior.

O facto de se poderem distinguir geralmente três formas de governo: 1) por um só indivíduo (monarquia); 2) por vários indivíduos e grupos (oligarquia); 3) por cidadãos adultos, representantes e delegados do povo (democracia), não significa que nas pseudo-anarquias (ou sociedades acéfalas), onde o poder permanece difuso, não existam modos de regulamentação social, confundindo-se então a socialização política com a aprendizagem e a inculcação das normas da sociedade em questão. Embora Bourdieu e Touraine apresentem como objecto da sociologia política a análise dos mecanismos de dominação, é necessário reconhecer que os antropólogos focalizam antes a sua atenção sobre os modos de gestão de colectividades mais ou menos restritas, nas quais a esfera política se diferencia pouco de outras esferas da vida social: parentesco e religião, particularmente. Uma proibição violada ou uma desobediência, pode ser punida pelo desprezo, por um rito de purificação, pelo castigo do culpado, por uma acusação de bruxaria ou pela expulsão da aldeia.

A construção teórica do campo da antropologia política apela para a história da disciplina e para a elaboração de conceitos de análise. A compreensão da política esclarece-se em seguida pelo estudo das relações com domínios afins, dos tipos de organização política e de hierarquização social, enfim, por um resumo das desestruturações provocadas pelo Estado moderno.

I - A EMERGÊNCIA DE CONCEITOS-CHAVE

a) *Breve historial*

Como especialização, a antropologia política aparece tardiamente, nos anos quarenta, no seio da antropologia britânica funcionalista, ambicionando analisar não só os Estados, mas a diversidade histórica e geográfica das organizações políticas, descobrir as diversas instituições que garantem o governo, tal como os sistemas de ideias e de símbolos que fundamentam e legitimam o poder.

É um facto que, nos discursos filosóficos, abundam as doutrinas políticas, desde Platão e Aristóteles até Hobbes e Rousseau. Montesquieu debate a diversidade das sociedades humanas, Pufendorf ao estado natural opõe o estado civil, no qual a autoridade é delegada num soberano, por homens que realizam um pacto de associação e de submissão.

Que o estado natural seja uma noção inverificável e não histórica, é proclamado bem alto por um jurista, H. S. Maine em *Ancient Law* (1861); só que ele, de forma igualmente hipotética, constrói a passagem das sociedades do estatuto ao contrato, invocando os direitos de Roma e da Índia. Distingue, no entanto, com pertinência, as sociedades fundadas sobre o parentesco e as fundadas sobre o território.

Outra distinção será estabelecida por outro jurista, L. Morgan, que, em *Ancient Society* (1877), vê a *societas* fundada sobre a reciprocidade entre parentes de idêntico estatuto, enquanto a *civitas* seria regida por um princípio de subordinação hierárquica a uma autoridade. Examina formas de governo tribal sem Estado nitidamente constituído, entre os Índios Iroqueses da América do Norte, mas pensa, como todos os evolucionistas da época, que houve estádios de passagens sucessivas e obrigatórias, do estado de horda selvagem, seguidamente do comunismo primitivo, ao matriarcado, e enfim ao patriarcado, no qual nasce o Estado civilizado. Engels e Marx retomam estas ideias, acrescentando que o apagamento dos laços de sangue antecede a emergência da política, o que nós contestaremos, ao expor as relações entre parentesco e poder.

Será necessário aguardar o ano de 1920 e a rejeição dos esquemas evolucionistas para que R. Lowie consagre dois capítulos do seu *Primitive Society* ao governo e à justiça, privilegiando a ideia de governo central, designando a política por funções legislativas, executivas e judiciárias, mostrando também que a organização parental está ultrapassada nas associações de classes etárias ou de sociedades secretas...

Desembaraçada do problema das origens, a antropologia política funcionalista encontra o seu campo de eleição em África, graças aos investigadores de campo, que eventualmente desempenhavam cargos em postos administrativos, na África colonial. É então que soa realmente a hora da antropologia política.

Em *African Political Systems* [Sistemas Políticos Africanos] (1940), E. Evans-Pritchard e M. Fortes apresentam teoricamente esta obra colectiva e esboçam uma tipologia a partir de oito pesquisas empíricas, incidindo sobre sociedades da Nigéria, da Costa do Ouro, do Sudão, do Uganda, da Rodésia, etc. A distinção fundamental opera-se entre sociedades com ou sem instituições políticas especializadas e autónomas. O aspecto político ultrapassa em muito a noção de Estado, visto que este é definido como "o aspecto da organização total que diz respeito ao controlo e à regulamentação da utilização da força física". São estudadas as sociedades de tipo segmentário e não centralizado. Examinam-se, como contrapartida às sociedades com Estado, sociedades onde o aspecto político se fundamenta apenas em linhagens dominantes, grupos rituais, classes etárias ou associações secretas.

Trata-se, em seguida, de tornar as comparações mais sistemáticas, de afinar as tipologias, de se desembaraçar dos argumentos funcionalistas, que consistem em privilegiar os estados de equilíbrio e em descrever as normas políticas de funcionamento, de preferência aos comportamentos reais. Enquanto E. Service (*Primitive Social Organization*, [Organização Social Primitiva] 1962), e M. Fried (*The Evolution of Political Society* [A Evolução da Sociedade Primitiva] 1967) aperfeiçoam a taxinomia, escavam dados arqueológicos, insistem nos diferentes níveis de integração sociocultural, toda uma corrente dinamista focaliza a sua atenção sobre problemas de competições, estratégias, manipulações e conflitos sociais, gerados por mecanismos políticos. Para V. Turner, o ritual comunica ideias ajustadas à resolução dos conflitos sociais. M. Gluckman estuda os ritos de rebelião que culminam no regresso à ordem. E. Leach interessa-se pela manipulação das regras operadas por indivíduos para a maximização das suas vantagens. G. Balandier interpreta as realidades políticas em termos de relações de força e relações de poder, analisa a simbologia do poder em cena, isola os reveladores de imperfeições dos sistemas através das contestações, conflitos e crises, capta os desajustamentos e turbulências na política, acentuando que as próprias tradições estão sujeitas a uma dinâmica de transformação, visto que todo o modelo contém anomalias, contradições e é, por isso mesmo, interpretado e manipulado.

b) *Semântica em volta do poder*

Sob a diversidade de formas da política, será possível descobrir a essência ou a natureza do poder? Questão filosófica, não de antropologia, a tal ponto os poderes aparecem numerosos, em relação com outros fenómenos como o sagrado ou o parentesco, distribuídos entre diversas origens (os deuses, a terra, os antepassados), delegados em diversas personagens (chefe da aldeia, xamã, chefe militar, anciãos do conselho...), hierarquizados de acordo com diferentes modalidades.

Se o poder em geral se define como a capacidade de A obter de B um acto que deseja ou algo que lhe requer, o poder político difere de outras formas de poder na medida em que se relaciona com o conjunto de processos e papéis sociais pelos quais são efectivamente tomadas e executadas decisões que comprometem e obrigam todo o grupo, eventualmente sob coacção. G. Balandier di-lo aceite, na medida em que é o garante da ordem e da segurança, reverenciado em razão das suas implicações sagradas, contestado porque justifica e mantém a desigualdade entre estatutos, categorias, partidos ou classes. O seu exercício supõe, por um lado, uma relação ambígua de aprovação recíproca, factor de integração, de reconhecimento de uma legitimidade ou de aliança entre partidários; por outro lado, de antagonismo lisível nas recusas, na violência unilateral e no exercício da coacção legítima.

A qualidade do político parece ser a síntese, no que ela se confunde com a organização da sociedade global. O poder político coordena com regras os comportamentos individuais e gera as relações conflituosas entre pessoas e grupos, mas a maneira de decidir e de se fazer obedecer varia segundo as vias e meios de execução. Assim, convém precisar o significado deste poder, confrontando o termo com outros, adjacentes, visto que este poder utiliza diferentes processos, sem com eles se confundir:

1) **A influência** é uma relação de modificação do comportamento de outrém, através de um processo de comunicação, por exem-

plo, a arte oratória de um chefe quaquiútle ou a de um *griot*(*) malinqué.

2) **O poder** de modificar os comportamentos obtém-se graças a sanções físicas (chicote ou, pelo contrário, cuidados médicos), morais (honra ou infâmia no Japão medieval), económicas (obtenção de um serviço ou privação de um bem). Negociadores que vencem graças ao poder ligado à sua riqueza em arroz, ao prestígio religioso ou à sua reputação de cortadores de cabeças, não dão sentenças e não têm poder executivo.

3) **A autoridade** define-se pela capacidade de se fazer obedecer quando se manda. Quanto mais poder se mostra pela acção e pela teatralização, mais poder se adquire, embora o poder se arrisque a enfraquecer por um exercício repetido. Numerosos estudos norte-americanos (Jennings, Lewin, Jenkins), incidem sobre os fenómenos de prestígio, de liderança e de autoridade do chefe.

4) **O domínio** resulta do recurso ao poder para obter a execução de decisões e culmina numa dissemetria social entre dominantes e dominados. Sejam quais forem os efeitos do domínio, e visto que os instrumentos do poder público (exército, feiticeiros, poderes sobrenaturais solicitados pelos ritos) não conseguiriam ser indefinidamente coercitivos, a obediência dos dominados é geralmente consentida, na medida em que o poder é considerado como legítimo

5) **A legitimidade.** Segundo M. Weber, que se debruça sobre o Estado e o seu monopólio do uso legítimo da violência, existem três tipos de legitimidade: o tipo tradicional, apoiado por uma crença no valor fundamental das tradições; o tipo carismático, fundado nos dons excepcionais ou nas qualidades eminentes do chefe; o tipo racional, apoiado na lógica das regras do direito e na competência profissional.

Mas nas sociedades tradicionais, tal como nas modernas, os fundamentos da legitimidade e mais geralmente do poder são difíceis de catalogar: um homem competente (tipo 3) pode

---

* Espécie de poeta e músico ambulante ao qual, geralmente, se associam poderes sobrenaturais. (N. do T.)

adquirir um resplendor (tipo 2), reclamar uma tradição de linhagem ou institucionalizar o seu poder na descendência (tipo 1). Segundo os casos, poder-se-á legitimar pela posse de um poder mágico (*mana*), a vontade dos deuses ou dos antepassados, a detenção de riquezas, a superioridade ideologizada de uma casta ou de uma etnia, as qualificações técnicas, a posse de meios de sanção, o respeito e o amor pelo Führer, a ditadura do proletariado, a soberania do povo, etc.

6) **A soberania**: não se identifica com o poder absoluto mas apenas com um poder superior ao de grupos particulares que compõem a sociedade, e relativamente independente das potências estrangeiras. Se, em França, depois de 1793, a soberania pertence à Nação, pode acontecer que noutros sítios pertença ao rei, ou ao conselho dos anciãos, numa organização aldeã onde existam, também ali, relações de força, de estratégias de actores e de coacções da organização consuetudinária.

Estas seis noções devem ser tratadas mais como categorias morais do que como factos. Existem relações de dominação-dependência consentidas, outras rejeitadas. E a relação de poder pode modificar-se com o tempo, no interior das mesmas estruturas políticas, se o chefe se tornar tirano, ou perder o seu crédito, portanto a sua legitimidade. De notar também que o poder político pode existir sem soberania territorial quando, por exemplo, se exerce sobre clãs, sem governo central encarregado do controlo social, sendo as funções do poder judicial assumidas pelo sistema mágico-religioso.

II - ADERÊNCIAS DO PODER FORA DA POLÍTICA

a) *Laços de parentesco*

Da mesma maneira que a cidadania é condicionada pelo modo de descendência patri- ou matrilinear, na maioria das sociedades tradicionais, assim também os papéis políticos de chefe da aldeia, de membro do conselho dos notáveis, de chefe de guerra, etc., são atributos de clãs e de linhagens: primeiros chegados, aliados, linhagens fortes. O sistema de linhagem geria simultaneamente as desigualdades de estatuto e de classe (mais idade, primogenitura) e as desigualdades de acesso aos recursos estratégicos. O estatuto do escravo define-se pela sua exclusão da linhagem. E nas sociedades segmentárias, de que falaremos a propósito dos Nueres do Sudão e dos Tives da Nigéria, o princípio de descendência predomina sobre o princípio territorial, embora ambos contribuam conjuntamente para a determinação do campo político. O exemplo dos Bamuns dos Camarões mostra como a organização de um território se fundamenta sobre o desdobramento, no espaço, de um sistema de relações entre grupos de parentesco saídos de um mesmo conjunto genealógico.

É conhecida a parte determinante do parentesco no recrutamento dos governantes. É sabido também quanto os casamentos entre príncipes daqui e princesas dacolá serviram estrategicamente os interesses políticos dos soberanos, quer se tratasse de Francisco I, de Luís XIV, dos reis zandés do Sudão ou dos chefes da Nova Caledónia.

Nos mitos de fundação dos reinos, a nova ordem política refere-se frequentemente a qualquer rotura de relações de parentesco por incesto ou crime.

Da mesma maneira que a contestação política pode revestir a forma de uma rotura dos laços de parentesco, assim também o poder sofre, devido a conflitos de linhagem, um eterno questionamento, no próprio seio da linhagem real, onde o poder é por vezes ganho de competição. Ao invés, a regulamentação dos diferendos opera-se frequentemente por dosagem, em função do ordenamento geral dos segmentos da linhagem, a ponto de, nas sociedades segmentárias e nas sociedades de classes, os mecanismos de resolução dos conflitos serem assimiláveis a mecanismos administrativos elementares.

É verdade que os campos semânticos da política e da família não são homogéneos. O "Grande Patrão" nem sempre é o *pater*, e o "Tonton" Mitterrand não é Deus (*oncle* diz-se *tio* em espanhol [e em português] e deriva de *theos*, "Deus" em grego), mas as metáforas da célula familiar, da monarquia paternal e patriarcal, desempenham um papel importante na ideologia tradicionalista de Bonald e de Maistre, como se a cultura política encontrasse a sua justificação naquilo que há de "natural" na família. Na "grande família" comunista, Estaline foi venerado como o "paizinho dos povos", e Thorez como o "filho do povo". Esta família aliou-se em França com os partidos "irmãos" da esquerda, que respeitavam "o grande irmão": o PC da URSS.

b) *Um poder sacralizado*

Tal como o parentesco, o sagrado aparece estreitamente intrincado com a política, sem estar presente em todo o lado. Pouco nos apercebemos dele entre os recolectores cungues do Calaári, entre os Ianomamis da Colômbia ou no Estado cubano actual. E o poder, cuja legitimidade procura sacralizar-se, começa por ter necessidade de um apoio secular.

No entanto, nas sociedades tradicionais, quer se considerem os reis como emanações das divindades ou como deuses no Egipto faraónico, na Roma imperial ou no Benim, como simplesmente sacralizados pela investidura, ou como dotados de poderes superiores, os rituais e procedimentos de que são objecto impõem uma distância e identificam uma legitimidade. O poder marca os seus depositários com uma marca superior, próxima do fascinans e do tremendum (fascinante e terrível), termos com que R. Otto definiu o sagrado, tanto nas monarquias de direito divino ocidentais como na Suazilândia; atribui-se aos reis do Sahel o poder de fazer chover, como aos Capetos se atribuía o dom de curar as pústulas. Não vai a taumaturgia beber a sua origem no sagrado? E o poder não se conforta com um pretenso fundamento sobrenatural?

Nas sociedades clânicas, a autoridade parece assim sobrenatural porque controlada pelos antepassados defuntos, eles próprios fontes do poder de sancionar. O chefe, que muitas vezes exerce as funções de sacerdote, pode também dispor de poderes mágicos, eventualmente em concorrência com outros poderes mágicos superiores. Entre os Lugbaras do Uganda, que não autorizam a violência entre parentes e aliados, recorre-se a meios místicos, como os oráculos, as ordálias (provas indicando o juízo de Deus, favorável ou não), a feitiçaria, para resolver os conflitos das aldeias e legitimar ou destruir uma autoridade. Os Tives da Nigéria pensam mesmo que um poder dominante obtém os seus privilégios porque se alimenta da substância dos inferiores. Apesar disso, imagina-se que cada poder tem o seu domínio e os seus limites. Entre os Incas do Peru, como entre os Maias do México, os sacerdotes dispunham de um enorme poder espiritual; no entanto, este poder não tinha força sobre o funcionamento temporal do governo.

Em treze volumes de erudição, *The Golden Bough* [O Ramo de Ouro], Frazer insiste na relação entre as diversas ordens natural, cósmica, humana, sobrenatural, que se supõem mantidas pelo soberano, como participante na reprodução da ordem do universo. O rei representa a fertilidade do solo e do gado, mas afirma também a ordem desejada por Deus, assegura o castigo da desordem, como depositário da força coactora. Ele tem o poder de permitir e de proibir, e por esta via tem influência sobre os dinamismos do universo e da sociedade.

Mas, se o rei perder a sua eficácia na gestão do povo, ou se utilizar o seu poder de acordo com uma arbitrariedade insuportável, então da degradação das forças do rei ou do seu julgamento pensa-se que derivará a degradação do reino. Ritos de regeneração, no antigo Congo, por exemplo, voltavam a dar pujança ao poder, renovando a sua génese. Aliás, a "perda de força" do povo por envelhecimento ou doença do rei, d a v a lugar, como entre os Chilucos do Alto-Nilo a um regicídio ritual, verdadeiro ou, muitas vezes, fictício, afim de renovar, por uma nova sagração, o vigor do povo.

O sagrado, nas sociedades tradicionais, serve também para reforçar, através dos mitos, as estruturas da autoridade, explicando-as historicamente e justificando-as moralmente. Como a entropia espreita a ordem, numerosos rituais têm como objectivo lutar contra a usura, por exemplo, representando a desordem para restabelecer a ordem (rituais de rebelião), ou de entronizar um novo chefe, afim de rejuvenescer as relações sociais (rituais de investidura), ou de expulsar do reino a doença ou as catástrofes naturais (rituais de purificação), ou de re-infundir na comunidade o poder místico que ela tem do mundo dos antepassados (rituais de oração e sacrifício), ou de integrar mais a comunidade por um laço que transcendesse os interesses e os conflitos (rituais de comemoração). Estes ritos, quer os de comemoração quer os de entronização, levam à cena o poder numa dramatização grandiosa, que funciona como armadilha do pensamento. Ao mesmo tempo que acentuam a distância entre o soberano e o povo, recordam a origem sagrada do poder e renovam o apoio do poder ao sagrado, remontando simbolicamente às suas origens.

Quando os nativos são reduzidos à impotência por um poder estrangeiro, colonial, por exemplo, a contestação política serve--se então da linguagem religiosa messiânica ou profética. Em toda a parte do mundo, abundam os movimentos de revitalização, que responderam ao choque com o Ocidente: kimbanguismo, no Zaire, Mau-Maus do Quénia, culto do cargueiro na Melanésia, dança do Sol entre os Siús.

À parte os casos messiânicos de contestação e os de notória separação entre a Igreja e o Estado, o papel da religião em política manifesta-se principalmente de três maneiras: 1) o governo fundamenta-se directamente numa religião, nas teocracias; 2) a religião é utilizada para fins de legitimação da élite dirigente; 3) a religião fornece estruturas mentais, crenças e tradições, manipuladas pelos aspirantes ao poder.

c) *O prestígio pela economia*

Terras, trabalho, riquezas, fazem parte dos instrumentos necessários à construção política. Uma vez que é a política que gere o executivo, o legislativo e o judicial, é fácil adivinhar que os problemas de regimes de bens de raiz, de propriedade e de redistribuição eventual das terras por feudos, direitos de arroteamento e de exploração, relevam de um direito consuetudinário ou de um direito cujo chefe político é o garante da sua aplicação, na medida em que é ele quem arbitra os conflitos sociais, pode confiscar as melhores terras, decidir sobre os arrendamentos aos colonos europeus na Rodésia, reformar na América Latina o sistema macrofundiário.

Certos indivíduos podem aceder ao poder pela riqueza económica, como se deduz da análise feita por M.Godelier a propósito da Nova Guiné. Mas o fenómeno existe também na África, entre os Ibos e os Efiques da Nigéria. O *Big Man* (homem importante) não possui um poder herdado, mas um poder merecido pelo seu entusiasmo em produzir ou em acumular riquezas (porcos, conchas, plumas de aves-do-paraíso, na Melanésia) a fim de as redistribuir por altura de trocas matrimoniais ou de as colocar, na altura das guerras, ao serviço da sua tribo. O *Big Man* sobe na escala social adquirindo títulos por pagamentos, mas pode também arruinar-se pela sua munificência. É óbvio que se assegura de uma reciprocidade, mas a sua posição mantém-se precária e não transmissível. As competições entre *Big Men* fazem apelo a árbitros, a ritos oraculares ou ordálicos, ou ainda a agressões ritualizadas. Foi especialmente no contexto das novas riquezas adquiridas nas economias coloniais e pós-coloniais que o fenómeno se desenvolveu.

A ligação entre o modo de produção e a gestão política de uma sociedade foi objecto de debate, especialmente a propósito do *despotismo oriental* (1957), no qual se articula, segundo Wittfogel, um monarca asiático absoluto e uma economia fundada sobre a ausência de propriedade privada da terra, sobre uma agricultura de auto-suficiência e sobre a realização de grandes trabalhos de irrigação sob o controlo estatal de uma burocracia dirigente, mandarinal, por exemplo. Quando a análise histórica ganhou em gradações, este pretenso modelo sociológico foi abandonado.

d) *O fundamento estratificado da política*

Em qualquer sociedade que seja, existem desigualdades, quer de bens, quer de poder, quer de signos expressando o estatuto (nem que seja segundo a idade e o sexo). A arrumação hierárquica destas desigualdades constitui uma ordem sobre a qual, para se legitimar e para agir, o poder político se fundamenta. Conforme o quadro unificador da estratificação: económico nos sistemas de escravatura e de classes, religioso nas castas indianas, político nos sistemas de ordens do Ancien Régime francês, assim variam as estruturas sociais que o poder tem o encargo de reproduzir, ao mesmo tempo que gere os dinamismos de funcionamento e a transformação de uma sociedade, nunca igualitária a não ser miticamente, e perpetuamente em tensão entre forças de coesão e forças de ruptura. As indicações que se seguem, referindo algumas formas de estratificação social, não correspondem a tipos de políticas, pois os estratos de uma sociedade não se alteram quando esta passa de um regime a outro, embora a acção política dependa enormemente, para sua própria eficácia, das estratificações in loco e das que ela gera.

Entre as formas elementares de estratificação social nas sociedades sem Estado, que fazem prevalecer as relações de parentesco e de aliança, os privilégios e as obrigações estão ligados à hierarquia das gerações e às diferenças sexuais. Mas existe também preeminência de clãs provenientes da anterioridade da sua instalação ou da sua função ritual, por exemplo, entre os Ticópias da Polinésia, segundo R. Firth, ou entre os Nueres do Sudão, segundo E. Evans-Pritchard. Certas sociedades possuem subgrupos com funções rituais, militares, cinegéticas, policiais, económicas... Entre os Mandingas da Guiné e do Mali, estas funções são confiadas às classes etárias de jovens iniciados, mantendo-se no entanto a política nas mãos dos anciãos.

No oeste canadiano, sociedades de *potlatch* desenvolvem-se no interior de hierarquias de poder, fundadas sobre trocas ritualizadas e agonísticas, e deixam lugar tanto à iniciativa individual como às estratégias colectivas com vista à sucessão a determinados títulos e à obtenção do poder pelo prestígio.

Embora a escravatura não constitua um sistema político, visto que está presente em chefaturas, em reinos, em cidades, em sociedades de linhagem, em diferentes épocas da história, a relação senhor-escravo, no entanto, resulta de uma relação de domínio entre vencedores e certos vencidos, no seguimento de guerras, incursões, trocas mercantis ou ainda de dívidas pagas em trabalho humano em vez de bens. A instituição em que ela aparece está ligada a estimativas de rentabilidade do trabalho na Antiguidade greco-romana, nas plantações do Novo Mundo ou em certos reinos e chefaturas da África ou da Ásia pré-colonial. Em nenhum caso constitui um estádio pelo qual passaram todas as sociedades.

No que respeita ao feudalismo, próprio da Europa, do século X ao século XIII, e do Japão, do século XII ao século XVI, ele assinala o desabamento do poder central e uma dispersão dos senhorios. O juramento de fidelidade consiste num contrato militar e político entre um superior em força, riqueza e prestígio e um vassalo que espera protecção e apoio do seu senhor. O senhorio hereditário exerce um poder de justiça, de cobrança fiscal e de defesa sobre os habitantes de um território, os quais traduzem a sua fidelidade em serviços, bens, corveias, tributos. Embora não exista sistema feudal na África dos Grandes Lagos (ex.: Ruanda, Burundi), J. Maquet conseguiu identificar um laço interpessoal de dependência, por exemplo, entre agricultores hutus e senhores tutsis, pastores. Fidelidade aparente, até que alguma revolução descolonizadora altere as relações de domínio, sem fazer calar as acrimónias prontas a transformar-se em massacres.

Noutras regiões do mundo, particularmente na Índia, mas também numa cintura que vai desde a África Ocidental à Insulíndia, estabeleceu-se um regime de castas, que representa um caso extremo e relativamente imóvel de estratificação, com hierarquia de posições dos grupos ordenados em superiores e inferiores, divisão do trabalho por profissões ou funções especializadas, separação em matéria de casamento (endogamia de casta), e de contactos directos e indirectos, oposição do puro e do impuro, justificadora do sistema. No Mali, desde o século XIII, os ferreiros, tanoeiros, sapateiros, feiticeiros, oleiros... são pessoas de casta, tratados diferentemente dos homens livres e dos escravos. Mas na Índia, toda a sociedade, excepto os párias, fora de qualquer casta, está distribuída em quatro *varnas*: 1) especialistas do sagrado, os brâmanes; 2) guerreiros e políticos, os chátrias; 3) produtores (agricultores, criadores de gado, artesãos, comerciantes), os vaisias; 4) servos dos três primeiros grupos, os sudras. No entanto, como sublinha L. Dumont (*Homo hierarchicus*, 1966), o termo casta convém sobretudo aos milhares de *jatis*, subgrupos profissionais cuja denominação conota primeiro o nascimento e o grupo hereditário, e que se distribuem nas aldeias em segmentos ligados por um sistema de prestações e contraprestações de bens e de serviços.

Nas sociedades europeias do século XV ao século XVIII, desenvolve-se o sistema das ordens ou estados. Clero, nobreza, terceiro estado, apresentam-se como uma hierarquização de grupos estatutários, fundada em critérios de honra e de prestígio. O clero explora o seu privilégio de intimidade com o sagrado, a aristocracia militar protege a Igreja, gere os bens de raiz, arroga-se privilégios que o terceiro estado vai contestar, no momento em que se fortalece uma burguesia de toga, de comerciantes e de artistas.

Depois da Revolução Francesa, que varre de um mesmo golpe a estratificação existente e o poder político que a apoiava, tende a desenvolver-se, segundo Marx, um sistema de classes, opondo particularmente a burguesia ao proletariado nascente. Se a classe se define pela sua ligação económica à produção e à distribuição das riquezas, inclui também um critério sociológico de tomada de consciência de um género de vida e de uma ideologia específica, assim como um critério político de luta pelo poder, sendo este considerado como órgão executivo de uma classe dominadora.

Mas o esquema de bipolarização tende a modificar-se com a elevação dos níveis de vida e o desenvolvimento do sector terciário, que suscitam o aparecimento das classes médias. A própria política, no seguimento de guerras, de crises, de fases de prosperidade, evolui e aumenta o pessoal de gestão da sociedade, a ponto de deixar emergir uma classe tecnoburocrática, partilhando o poder com as instâncias executivas, legislativas e judiciais instituídas.

Se, até ao presente, o estudo da estratificação relevou sobretudo da história e da sociologia, foi a antropologia política, pelo contrário, que aprofundou a análise das organizações políticas, diferentes das dos Estados modernos. Partamos do sistema de poder menos estruturado e mais flutuante, para irmos até ao modo de governo mais centralizado.

III - ALGUNS TIPOS DE ORGANIZAÇÃO POLÍTICA

a) *O bando com governo mínimo*

Os bandos de caçadores-recolectores-pescadores nomadizantes, como os Aborígenes australianos, os Pigmeus Bosquímanos do Calaári, os Esquimós da Sibéria e da Gronelândia, os Nambiquaras ou os Guaiaquis da Amazónia, são grupos pouco numerosos (25 a 150 pessoas), que não devem ser confundidos com as pseudo-"hordas" primitivas, selvagens, anárquicas e guerreiras, termo obsoleto de origem evolucionista, designando em Durkheim o agregado social mais elementar e em Freud o grupo primitivo regido pela força e pelo desejo imperialista do pai.

O bando, visto pelos antropólogos, é a organização social mínima, nomadizando em função das estações num território relativamente autónomo, agrupando membros de uma ou várias famílias, não tendo nem contextura institucional, nem diferenciação funcional, nem estratificação, mas apenas alguns papéis temporários e não hereditários, como o de caçador ou de xamã, que adquiriram temporariamente sobre o seu grupo uma influência limitada à gestão dos itinerários, das paragens, do consenso do grupo e das relações com os vizinhos. Se o chefe cometer erros ou der provas de arbitrariedade, todos se afastam dele e o bando torna-se demasiado restrito para garantir a sua própria subsistência.

Lévi-Strauss, a propósito dos Nambiquaras do Brasil, explica que, como contrapartida à sua generosidade, ao seu talento oratório, ao seu papel pacificador e dinamizador, o chefe recebe, como o xamã, o direito a ter diversas mulheres. Ao sacrificar este elemento de segurança individual, que é o stock de mulheres disponíveis, o grupo obtém em troca um elemento de segurança colectiva, garantido pelo trabalho do chefe.

b) *As sociedades com poder difuso*

Os traços mais frequentes destas sociedades, ditas por vezes anárquicas (Ianomamis da Venezuela, Kpelés da Guiné e da Libéria, Lobis do Burkina Faso, por exemplo), são: a subsistência por agricultura extensiva, horticultura ou pastoreio; o líder entre os chefes de família, que escolhem um sábio mais velho ou um guerreiro particularmente valente, como representante do grupo territorial; o sistema de parentesco unilinear; a integração operada por associações de idade com função de animação, vigilância, trabalho comum...; a reciprocidade nas trocas, eventualmente com equivalentes monetários (conchas); um certo igualitarismo social; a propriedade colectiva das terras; o uso da força reservada aos chefes de linhagem ou às associações; a particular importância concedida aos ritos de passagem, entre os quais a iniciação.

Nas sociedades de linhagem habituais em África, a unidade de solidariedade é o grupo familiar de descendência, que garante a protecção do indivíduo, reunindo várias gerações sucessivas e as pessoas aparentadas. Uma linhagem compreende geralmente diversos "mais velhos" de famílias alargadas, cuja velhice corresponde menos à primogenitura do que à sucessão a um título e do que a um casamento fecundo. A autoridade é aí exercida pelos chefes de linhagem ou pelos mais velhos reunidos em conselhos de anciãos, cujo chefe de linhagem dominante pode ser apenas o simples porta-voz dos vivos, como aliás da vontade dos antepassados. Toda a tomada de decisão deve constituir objecto de um largo consenso. Existe geralmente preeminência de determinados clãs e linhagens sobre outros, dos homens sobre as mulheres, dos mais velhos sobre os mais novos. Os conflitos podem ser resolvidos conforme o caso, por um sacerdote da aldeia, um senhor dos mercados, um mágico especialista dos rituais, ou ainda por um conselho geral.

Deste tipo de sociedade de poder difuso, deriva o que impropriamente se chamou as sociedades anárquicas, as sociedades de grupos etários, as sociedades de classes, as sociedades segmentárias, cuja especificidade merece algumas observações. Em todas estas sociedades, o poder distribui-se quer somente entre grupos de linhagem, quer entre estes grupos e as classes etárias, ou as associações de base territorial (os Hopis e os Zunis do Novo México), ou os grupos com superioridade ritual (Anuaques, dos confins sudano-etiópicos) ou os conselhos de aldeões.

É necessário distinguir nitidamente a segmentação social: divisão de um grupo em subgrupos, separados pela sua existência e pela sua actividade, e a noção de sociedade segmentária. Não se trata, neste último caso, de simples subdivisão em clãs, subclãs, linhagens e famílias, nem do simples processo de rotura em função do crescimento demográfico, de deslocações mais ou menos importantes, de querelas internas, mas sim de um tipo de organização social sem governo estável, recortado em segmentos e subsegmentos, que se unificam e fundem de acordo com determinadas regras sociais, para temporariamente fazerem face a conflitos, porque um princípio de solidariedade une estes segmentos, graças à existência de uma moral e de rituais comuns.

A afirmação de pertença quer ao subsegmento, quer ao segmento, quer ao conjunto, varia conforme a origem das pressões exteriores. Assim, os segmentos A' e A" unem-se face à agressão de um membro de B' que terá por aliados os B", visto que a união de todos os A é requerida contra os B. Mas solidariedade e hostilidade são questão de situação e de regras de pertença aos segmentos encaixados. As tendências centrípetas afirmam-se no perigo, as tendências centrífugas na vida corrente. Como na Córsega, a *vendetta* não destrói nem a solidariedade de grupo, nem a unidade global face aos estrangeiros. Entre os Nueres do Sudão, os Tives da Nigéria, os Talensis do Gana, a organização segmentária permite a mobilização de milhares de pessoas sem o auxílio de uma organização estatal.

Mesmo fragmentada em secções ou segmentos, a tribo nuer estudada por Evans-Pritchard é uma entidade política soberana, dotada de um nome distinto, de um sentimento específico, de um território comum, de uma obrigação que leva os indivíduos a unirem-se na guerra e a resolverem entre eles as suas discórdias, graças eventualmente à intervenção de um "homem com pele de leopardo", escolhido fora dos clãs dominantes. Mas existem muitas desigualdades de clãs, estatutos diferentes segundo a posição da linhagem, o estatuto de mais velho, a riqueza em gado, e a personalidade mais ou menos prestigiada. O termo "tribo", pouco utilizado actualmente, mas posto em voga por L. Morgan a propósito dos Iroqueses, designa o sistema de organização em que o papel do conselho dos anciãos se mantém preponderante.

c) *A chefatura*

Embora as sociedades não centralizadas tenham por vezes chefes de aldeia, reserva-se geralmente o nome de chefaturas às comunidades de base regional, não puramente clânica, sujeitas à autoridade de um representante especializado na direcção dos negócios colectivos e num papel de regulamentação social. A chefatura pode ser restrita, quando não existe nem administração nem força pública permanente, ou então desenvolvida nos sistemas oligárquicos de federações (ex.: os Cheienes da pradaria norte-americana). Caracteriza-se pela conjugação dos traços a seguir apontados, embora as fronteiras entre sistemas de chefatura e sistemas de Estado não sejam rigorosas: 1) relações estreitas de um grupo restrito, mas de população heterogénea, com o seu território e com o sobrenatural; 2) trocas contratuais ou determinadas por relações de força (tributo e redistribuição); 3) a combinação, no chefe, de formas de autoridade provenientes do parentesco (família predominante por razões míticas ou históricas), do prestígio, do sagrado, de uma coerção limitada por falta de aparelho que monopolize a força; 4) a diferenciação do aparelho político e das hierarquias sociais.

Na Oceânia predomina a chefatura *Big Men* já assinalada. Na África, as chefaturas tradicionais, muito diversificadas, com densidades demográficas e dinamismos diferentes, foram muito afectadas pela colonização, que utilizou o chefe local como veio de transmissão do poder estrangeiro, o que modificou os recortes territoriais e fez perder a funcionalidade e o prestígio à instituição. O chefe exerce uma atracção ligada à força nas chefaturas de conquista (Alures, Iaos), ao prestígio e à estabilidade (Bambaras, Niaquiusas, Guros), às dimensões espaciais restritas (Quirdis) ou mais largas, mas segmentadas (Somalis, Ndembus, Lundas). Certas chefaturas, como as dos Bamileques dos Camarões, têm um poder político forte, outras resultam da desagregação de um sistema estatal (chefaturas malinqués, saídas do império do Mali; chefaturas ruzis, saídas do Monomotapa), outras parecem mais democráticas, na medida em que o chefe é antes o mandatário das famílias (Mangbetus, Guros).

Conforme as culturas e a composição dos grupos, assim varia o modo de designação do chefe: título hereditário, nomeação ou eleição. Em troca do exercício do seu poder de decisão, ligado a um papel de instância moderadora dos conflitos e a uma função simbólica de representante da unidade do grupo, o titular da chefatura (a palavra designa também o cargo), obtém geralmente vantagens económicas (direitos a prestações de bens e serviços, reserva de excedentes com obrigação de munificência em contrapartida), privilégios sexuais (grande número de esposas, direito de pernada na Europa medieval), preeminência e altas funções cerimoniais (como mediador dos deuses e garante da harmonia entre os homens e o cosmos).

O poder reveste geralmente um carácter sagrado, inviolável até, devido à legitimação pela ligação genealógica privilegiada dos chefes aos primeiros antepassados míticos do grupo, ou por uma ideologia da concentração da eficácia sacral do grupo, na pessoa do chefe respeitado e temido, por vezes isolado.

Na falta de provas históricas, só poderíamos especular sobre as primeiras aparições de chefaturas e sobre a anterioridade do poder mágico-religioso em relação ao poder político. Podemos perguntar-nos, com P. Clastres, se, em vez de conduzir ao Estado, muitas chefaturas não segregam instituições visando pôr em cheque o poder pessoal e a deriva estatal.

d) *O Estado*

Os filósofos e alguns etnólogos têm discorrido longamente sobre a origem do Estado. Debate ocioso, donde apenas têm nascido hipóteses sobre o estado político saído do estado natural (Locke, Rousseau), sobre os modelos evolutivos (*gens*, fratria, tribo) arrancados à antiguidade europeia, para explicar sem pertinência os estados de sociedade do mundo inteiro (Morgan), sobre o Estado mantenedor da ordem e da segurança, mas instrumento da classe dominante, de função opressiva e exploradora (Engels), sobre o papel do domínio da hidráulica no desenvolvimento do Estado (Steward, Wittfogel), sobre as pressões demográficas num território acompanhadas por acesso desigual aos recursos de base, defendendo o Estado pela força das armas a ordem da estratificação (Fried).

A dizer a verdade, consequência de processos diversos (ecológicos, económicos, religiosos, ideológicos, sociológicos), o Estado aparece diverso nas suas formas, tal como nos meios de realizar os seus objectivos, conforme se trate de cidades-Estados, de impérios, de Estados teocráticos, de Estados tribais, de Estados centralizados ou não, de Estados autocráticos, oligárquicos, democráticos, de Estados estratificados segundo a classe, a casta ou o estatuto social. Entre os reinos astecas e incas da América, sumérios do Médio Oriente e zulos da África do Sul, ancolés do Uganda e cacharis da Índia, a diversidade de funcionamentos confunde-nos.

Com S. Nadel, especialista do Estado nupe, da Nigéria, pode, no entanto, considerar-se o Estado como uma forma específica de organização política, definida pelos seguintes critérios: um governo centralizado com hierarquias e segmentações piramidais; uma soberania territorial importante; um corpo administrativo e instituições especializadas; um monopólio do uso específico da força, detido pelo aparelho governamental, composto por uma élite dirigente recrutada, formação e estatuto especializados na função de gestão do Estado. Muitas vezes, os graus mais elevados são propriedade de clãs reais. Impostos, tributos, guerras, razias de gado e de escravos, monopólio de determinados comércios, constituem as fontes de receita dos governantes. Entre os Nupes, clãs nobres detêm as funções civis, militares, judiciais e religiosas, e bem assim poderes delegados. Afim de consolidar e de melhorar a sua posição política, asseguram-se de uma clientela cuja fidelidade ultrapassa as redes do parentesco. O facto de o poder se tornar objecto de competições no seio da linhagem real e de tensões entre funcionários, não significa que ao estado lhe falte integração, nem que os administrados não se identifiquem como cidadãos de um tal regime político, centralizado e não igualitário.

O reino kuba do Zaire, estudado por J. Vansina, comporta chefaturas relativamente independentes, com um chefe nomeado pelo rei. O chefe faz juramento de fidelidade pela oferta de uma mulher e pelo envio de um tributo anual. No reino fon do Daomé, mesmo os chefes de aldeia eram nomeados pelo rei e sujeitos a inspecções frequentes dos seus enviados ou mesmo dos seus espiões. A autoridade justificava-se como delegação de comando emanando do poder supremo, que era o único a tomar as decisões políticas.

IV - DINÂMICAS MODERNAS

Por toda a parte, a degradação e a transformação das formas antigas de poder operaram-se sob a influência colonial, depois pela constituição de Estados modernos burocráticos. Quererá isto dizer que desapareceu ao mesmo tempo o objecto da antropologia política, para se fundir numa sociologia que foi inicialmente, no Ocidente,
sociologia eleitoral e sociologia das elites dirigentes, e que, em seguida assumiu, nas democracias pluralistas, a forma de competição pela conquista do poder legítimo, tendo em seguida o interesse deslizado para o comportamento dos actores políticos que cobriam os mecanismos do poder e do domínio, antes de serem analisados, por recurso à história e à comparação, os modos de formação histórica dos diversos regimes?

Na realidade, a colonização, com a sua organização e as suas coacções mas também a sua força modernizante, agiu de facto a princípio como destruidora das unidades políticas tradicionais, retalhando as etnias com a criação de fronteiras: os Congos foram repartidos pelo Congo, Zaire e Angola, os Euas pelo Gana, Togo e Benim. Modificou o modo de organização civil, transformando em problema burocrático de administração aquilo que relevava da competência dos governos patrimoniais tradicionais. Afectou o prestígio dos chefes, ao mesmo tempo devido a um enfraquecimento da sua posição económica, à desapropriação de grande parte do seu papel de árbitro e à parcial dessacralização do poder. Além disso, num Estado laico que os reverencia, a aura religiosa destes chefes é contrariada por novas religiões importadas. Na mesma sociedade, sobrepuseram-se dois sistemas de domínio, o tradicional e o moderno, de tal maneira que o administrado joga estrategicamente com um ou com outro, porque, uma vez enfraquecido o poder tradicional, o poder moderno não adquiriu força e estabilidade suficientes, apesar da inflação de ideologias e de símbolos modernistas.

A África foi mais vulnerável às transformações coloniais do que os países do Extremo Oriente, de cultura antiga, habituados a enfrentar as vicissitudes da história. Na própria África, as incidências devastadoras da colonização atingiram mais as antigas realezas do que as sociedades acéfalas. No Buganda (Uganda), o antagonismo aberto entre o poder tradicional e o poder moderno culmina em 1966, após a independência, com a condenação do rei ao exílio.

Na África francófona, o degelo da vida política operou-se desde o fim da Segunda Guerra Mundial, com a autorização de formação de partidos políticos; depois, em 1957, quando da aplicação da lei Defferre, pela tomada da administração dos territórios por parte dos autóctones.

Uma vez obtidas as independências nos anos sessenta, e depois de o partido único se ter afirmado como instrumento modernizante, não tardam a surgir as inquietações, motivadas pelos fracassos de um desenvolvimento económico imputado à dependência neocolonial e aos erros de gestão da classe dirigente, o que provoca conflitos entre elites e golpes de Estado. Nos anos oitenta, os poderes em exercício, a coberto de ajustamento estrutural, são constrangidos pelos patrões dos fundos internacionais a uma democratização de fachada.

Como se desenrola então a tradição no Estado moderno? Digamos que existe demasiada tendência para pensar nela como imutável, enquanto ela é fidelidade ideológica a um passado, mas também adaptação pragmática a novas circunstâncias que têm de ser bem regulamentadas, sem trair os seus laços fundamentais. O esquema das sociedades tradicionais, feitas de estabilidade das instituições, de persistência da ordem dos valores, de coerência cultural e de consenso social, só vale como estereótipo do tradicionalismo. Ao lado deste tradicionalismo fundamental, G. Balandier apercebe-se de um tradicionalismo formal (manutenção de formas mas com conteúdo diferente), um tradicionalismo de resistência (com reacções de fechamento, de camuflagem, de recusa), um pseudotradicionalismo estratégico para dar um sentido às novas realidades, marcar uma dissidência, exprimir uma reivindicação.

Não há qualquer dúvida de que no Estado africano moderno existem elementos tradicionais: primado da organização comunitária de preferência à individualização das relações sociais; ausência de sociedade civil unificada; presença de culturas de orientação anti-estatal; fraca diferenciação do poder, em relação à etnicidade ou a um movimento político dominante. Quando prevalecem as lógicas comunitárias, o clientelismo e os hábitos de não-delegação do poder, o Estado moderno assume uma fisionomia que o sociólogo terá dificuldade em entender sem referência às práticas da política nas sociedades tradicionais. J.-F. Médard fala, em relação à África, de Estado neopatrimonial; J.-F. Bayart subintitula o livro l'*Etat en Afrique* com a expressão "A política do ventre", e analisa a assimilação recíproca das elites, a modernização conservadora, bem como as redes político-económicas. Não poderia ser alargada a numerosos países a ideia segundo a qual a detenção do poder permite ao dominador sacar uma renda de situação, por predação sobre os recursos do Estado, os fluxos comerciais e a ajuda para o desenvolvimento? Um nome: a cleptocracia.

V - CONCLUSÃO

Visto ter sido necessário, para atingir o essencial, concentrarmo-nos nos fenómenos do poder, deixámos evidentemente na sombra uma grande parte da antropologia política, centrada nos conflitos, sua expressão através das contestações judiciárias, incursões, homicídios, guerras, e sua regulamentação segundo as normas sociais, pela intervenção de especialistas que julgam as culpabilidades, castigam, obtêm compensação pelos prejuízos ou reparação.

Ao insistir no poder fundamental, deixámos escapar a política ao nível médio, quer dizer, por exemplo, ao nível dos notáveis hereditários ou carismáticos, que tanto peso têm na vida dos Baruias da Nova Guiné, estudados por M. Godelier. Também não se captaram os mecanismos do controlo social perpétuo, que os habitantes de uma mesma comunidade exercem uns sobre os outros, em sociedades muito longinquamente policiadas pelo Estado moderno.

Nada foi dito sobre os processos de politização após as independências, nem sobre as ditaduras, golpes de Estado militares, tentativas de democratização, nem sobre a expressão dos lealismos étnicos ou outros, nem das relações entre governantes e opinião pública, através, por exemplo, dos *media*, nem do desenvolvimento das desigualdades e das classes (burguesia de funcionários e burguesia de negócios, cultivadores, operários...), nem sobre a expressão ideológica dos diversos socialismos africanos, nem sobre o impacto real do poder estatal moderno a nível local. O campo de estudo continua a ser imenso. Ao percorrê-lo, aperceber-nos-emos da pertinência da atitude de G. Balandier: tal como a ciência política ocidental ilumina os mecanismos estatais no Terceiro Mundo, inversamente a passagem pelo Terceiro Mundo verifica-se ser de enorme proveito para melhor compreensão das sociedades ocidentais.

6
ANTROPOLOGIA RELIGIOSA

Introdução histórica

Quando, na segunda metade do século XIX, se constituíu a antropologia religiosa, ela acumulou os falsos problemas que afectaram o seu nascimento. De Tylor a Durkheim, julga-se explicar a complexidade dos fenómenos religiosos elaborando simultaneamente uma suposta origem das religiões e um esquema da sua evolução. Tylor procura assim levantar um quadro de desenvolvimento dos animismos a partir da crença no dúplice, até ao monoteísmo. Discute-se a anterioridade do monoteísmo ou do politeísmo, tal como o facto de saber se a emoção precede o rito ou se o segue.

Durkheim pensa descobrir a essência do religioso nas suas formas elementares, visto que crenças e ritos estão dominados pelas ideias de *mana*, *totem* e *tabu*, segregadas pela sociedade que se sacraliza a si própria. Interessado nos deuses da Índia e do mundo clássico, o mitólogo M. Müller supõe que, através da tirania da linguagem, se transita da observação da beleza dos espectáculos do Universo para a sua expressão por metáfora, em seguida para a substancialização destes símbolos em divindades: Apolo (Sol) persegue a aurora (Dafne), que escapa transformando-se em loureiro (Dafne significa em grego, ao mesmo tempo, aurora e loureiro).

Enquanto Frazer estabelece passagens obrigatórias da magia à religião e depois à ciência, Mauss opõe a essência da religião à da magia, e Freud, igualmente redutor, vê Deus como a projecção idealizada e sublimada da imagem do pai, de acordo com o o lugar que ocupa na família dos diferentes tipos de sociedade. Embora Lévy-Bruhl tenha errado na conceptualização de uma mentalidade primitiva, que opõe à mentalidade lógica, é preciso reconhecer que ele foi um dos melhores analistas dos factos religiosos nas sociedades ditas arcaicas, e que neste clima de reflexão irão desabrochar M. Griaule e M. Leenhardt, ambos atentos às concepções do mundo (africanas, o primeiro, melanésias, o segundo), aos modos de reflexão por símbolos e à leitura das culturas locais, através dos mitos. Adeus, géneses e essências! Doravante, analisam-se as ligações e as conexões! Mais tarde, enquanto os discípulos de M. Weber enriquecem a sociologia das religiões, R. Bastide orienta uma parte das suas pesquisas para os cultos sincréticos, C. Lévi-Strauss para as mitologias, M. Gluckman e V. Turner para os ritos.

I - A RELIGIÃO E O SAGRADO: LIMITES DE UM DOMÍNIO

a) *Definição do campo da antropologia religiosa*

Como parte de uma antropologia simbólica, que abarca todos os aspectos do símbolo na linguagem, nas artes, na cultura, a antropologia religiosa estuda o homem, construtor e manipulador de símbolos, na sua relação com o que ele julga ser o sobrenatural ou o sagrado, mas apenas nas religiões de microsociedades, deixando para a sociologia religiosa a análise das grandes religiões de salvação. Ela não toma por objecto aquilo que alguns julgam ser o irracional, pois existe uma racionalidade subjacente à elaboração de narrativas figuradas chamadas mitos, como observa C. Lévi-Strauss; e a mimesis do gesto ritual, por curioso que possa parecer, releva de concepções ordenadas do homem, do Universo e da transcendência, enunciadas através de uma simbólica redundante.

O seu campo estende-se a domínios tão variados como a dita mentalidade primitiva, a magia e o feiticismo, as formas de organização religiosa. Vamos esquematizar este campo, para melhor o entendermos: 1) a religião tem como objecto, por um lado, as potências: Deus, génios, *mana*, antepassados, demónios...; por outro, os ambientes sagrados, receptadores de forças: pedra, árvore, água, fogo, animais, etc.; 2) o sujeito da religião é o homem consagrado (rei, sacerdote, santo, mágico...), mas também a comunidade cultual (clã, igreja, seita, sociedade secreta), bem como os elementos ditos espirituais no homem (alma, dúplices, espíritos); 3) as expressões da experiência religiosa são, ao mesmo tempo, ideais (crenças, mitos, doutrinas), práticas (cultos, ritos, festas, actos mágicos), sociológicas (tipos de laços sociais no seio de uma organização religiosa), taxinómicas (variáveis segundo as áreas culturais e as formas de economia dominante: religião do guerreiro, do comerciante, do agricultor) e históricas, visto que, através das épocas, se operam mutações da vida religiosa.

Talvez convenha insistir também nos aspectos imaginários e emocionais que C. Geertz acentua ao dizer: "A religião é um sistema de símbolos que actua de forma a suscitar nos homens motivações e disposições poderosas, profundas e duradoiras, formulando concepções de ordem geral sobre a existência e dando a estas concepções uma tal aparência de realidade, que estas motivações e estas disposições parecem apoiar-se apenas na realidade."

Sob o ângulo das suas relações com as sociedades, observe--se que a religião depende directamente dos quadros sociais que exprime (religião do nómada ou do caçador), mas que modela também a estrutura social, por justificações míticas, sacralizações de hierarquias iniciáticas ou codificações de actividades (casamento, xamanismo, ritos do ferreiro, por exemplo).

Sob o ângulo das suas funções principais, diremos que ela é:

explicativa, na medida em que disfarça um saber empírico enfraquecido; organizadora, pela ordem que pressupõe e visa salvaguardar no Universo; tranquilizante, na medida em que reduz a um nível suportável o medo e as tensões psíquicas, pela fé e pela esperança numa justiça; integrativa, na medida em que actua como mecanismo de controlo social, ligada como está a uma moral do respeito e da sanção, mas também porque cria uma comunhão dos crentes.

b) *Rectificação de preconceitos*

A antropologia religiosa, como ciência dos factos sociais, reclama uma atitude de distanciação que nos impele a enunciar algumas proposições fundamentais para levantar os preconceitos adquiridos por uma formação cristã ou filosófica.

* A distinção sagrado-profano, quer dizer, entre a relação dos homens com uma transcendência e a relação dos homens entre eles, é elástica e não estável. Varia no tempo e no espaço: o Sol e a Lua já não são para o homem moderno manifestações do sagrado, como o eram para o antigo Egípcio.

* É o homem, eventualmente fundador de uma religião – Moisés, Buda, Jesus, Maomé... –, que faz prevalecer, através de obrigações e de interditos, a instância sagrada por ele definida, embora a proclame revelada, em relação ao domínio do profano.

* A dualidade corpo material/alma imaterial não passa de um pressuposto cristão. Muitas religiões afirmam uma multidão de componentes imateriais da pessoa, sem mais justificações do que acontece no cristianismo.

* O politeísmo (crença em diversos deuses) está muito mais espalhado na história da humanidade do que o monoteísmo; não há provas de que se situe quer na origem, quer como estado terminal das crenças.

* Não existe uma essência da religião (salvo sistematizações filosóficas, aliás, contraditórias), mas, como muito bem sublinhava Mauss, formas diversas de religiões no espaço e no tempo que comportam representações (mitos, crenças, dogmas),

práticas (actos e palavras), organizações (grupos de afiliação, hierarquias de papéis), muito diferentes umas das outras.
 * É arbitrário, como observa M. Augé, postular que o impessoal preexiste ao pessoal, a força à autoridade, a magia à religião.
 * A pluralidade das religiões não autoriza, de forma nenhuma, que se considere uma delas como a única verdadeira, não passando as outras de esboços ou simulacros, apesar da nossa tendência para tratarmos como mitos e superstições as crenças a que nós próprios não aderimos.

Concordamos com Durkheim ao percebermos os discursos e as representações religiosas de uma sociedade como um produto seu, e como elementos que justificam as práticas, embora se trate de práticas iniciais que puderam gerar justificações míticas, e apesar de certas religiões do Oriente não pressuporem seres espirituais fora do mundo.

Embora o discurso religioso pretenda abarcar a totalidade da experiência humana da Natureza, ligando o material e o sobrenatural, a imanência e a transcendência, a sua intenção fundamental é classificar, ordenar, hierarquizar (o que, no fundo, é prórprio de todo pensamento, mesmo não religioso), mas, além disso, enunciar normas pedagógicas para construir uma moral e dar um sentido à vida, ainda que nada justifique que este sentido esteja fora do próprio homem.

c) *O sentido do sagrado*

Se definirmos o facto religioso como transcendência (M. Eliade), então ele remete para a experiência de um poder ou de outra coisa da qual só por adesão íntima se poderá afirmar que se trata da realidade última (J. Wache), ou de "algo radicalmente diferente" (R. Otto) ou, ainda, da suprema felicidade. É a crença que fabrica o sagrado e que o determina como revelação. Uma hierofania não é a manifestação do sagrado em si, mas a crença no facto de que um ser (pessoa, objecto) remete simbolicamente para um significado diferente, tendo uma consistência ontológica. Em resumo, uma experiência interior constitui-se, fantasmagoricamente, em realidades exteriores. Ela pensa-se produzida pela acção exterior de uma entidade valorizada como sagrada pelo próprio homem. É sempre o homem quem decide sobre o investimento, por uma potência que ele considera superior, num ser, num animal, num objecto, que funciona como princípio de conjunção do profano e do sagrado. O facto de o sagrado aparecer como estruturalmente incorporado à consciência do *homo religiosus* não permite inferir a sua existência fora desta consciência. No fundo, será o sagrado algo diferente da crença numa realidade superior que daria sentido à ordem do mundo, quando se ignoram os princípios desta ordem? Daí os seus epítetos de misterioso, inefável, inatingível.

A esta força misteriosa, fascinante e temível, a que R. Otto chama o sagrado, os povos atribuem conteúdos diversos: génios, Deus, Augusto, valores metafísicos, forças superiores mitificadas. O sagrado está além da nossa apreensão e além do nosso poder; é o mito ou a segurança íntima (o que significa a mesma coisa) de uma totalidade que se responsabiliza por aquilo pelo qual eu não sou responsável. É uma forma de teorizar a impotência. Mas o campo do sagrado extravasa em muito o campo do religioso institucionalizado, na medida em que se encontra no coração da religiosidade, fora de toda a ligação a uma religião: amor sagrado da pátria, laços sagrados do casamento, respeito sagrado do pai pelos filhos...

Isto significa que o sagrado extravasa em muito o campo do religioso, a fortiori institucionalizado. Pode ser sentido em certas liturgias políticas, tal como na magia ou nas "religiões populares", sem corpo gestor das crenças e das práticas.

II - MAGIA, XAMANISMO E FEITIÇARIA

a) *Magia*

A magia define-se geralmente como operação visando agir sobre a Natureza por meios ocultos, que pressupõem a existência quer de espíritos, quer de forças imanentes e extraordinárias. Segundo a finalidade da operação, opõe-se a magia branca, de efeitos benéficos, tal como uma cura ou o êxito de um empreendimento, à magia negra, que faz intervir espíritos maus para empreendimentos maléficos. Toda a magia põe em acção poderes externos, manipulados através de símbolos (objectos, fórmulas, gestos) visando modificar o curso dos acontecimentos, com uma finalidade aproveitável ao agente, mas eventualmente prejudicial a outros.

Marcel Mauss, na sua *Théorie de la Magie* [Teoria da Magia] (1904), confunde magia e feitiçaria (por vezes, os limites são imprecisos, valha a verdade). Força também a oposição entre fenómenos religiosos e fenómenos mágicos. Esquematicamente, a religião tende para a metafísica, enquanto a magia é essencialmente prática. A primeira tem como rito característico o sacrifício, a segunda o malefício. A primeira supõe um intermediário de poderes sobrenaturais cuja utilização é aceite; a segunda aparece como violenta e produz efeitos automáticos, mas é considerada mais ou menos ilícita. A primeira é essencialmente colectiva e social; a segunda, individual nos seus ritos e eventualmente anti-social, embora assente em crenças colectivas.

A estas oposições tendenciais correspondem na realidade muitas imbricações entre magia e religião; existem magias benéficas, comunitárias e totalmente aceites pelo grupo.

Embora algumas ciências (astronomia dos magos medos e persas) e técnicas (metalurgia dos alquimistas) tenham nascido num contexto de crença na magia, não se pode daí deduzir que a ciência deriva da religião ou da magia. Esta última funciona, segundo J. Frazer, a partir das leis de semelhança e de contágio. Aspergir a terra com água para fazer cair a chuva, releva da homeopatia. Fazer feitiço sobre alguém servindo-se das aparas das suas próprias unhas releva do contágio. Para Lévi-Strauss, a magia estrutura-se em volta de uma tripla crença: um suporte ideológico comunitário, a fé do paciente na eficácia do rito e a do mágico nas suas técnicas.

b) *Xamanismo*

Entre as diversas formas de magia, especifica-se habitualmente o xamanismo. O termo, colhido pelos etnógrafos russos nos Tunguzes árticos, designa um conjunto de crenças mágicas e de fenómenos extáticos, observados entre os povos da Sibéria e da Ásia central, mas também no Tibete, entre os Esquimós, entre os Índios da América do Norte, na Indonésia e na Oceânia. Segundo M. Eliade, o xamã é um indivíduo inspirado e sujeito ao transe, cuja alma efectua a viagem ascensional ao universo extrahumano.

Seja qual for a forma de selecção do xamã (transmissão hereditária, decisão pessoal, vontade do clã), o reconhecimento social só é adquirido após a iniciação de ordem extática (descida ritual aos infernos, transes), de ordem técnica (conhecimento dos espíritos, dos mitos, das línguas) e de ordem ascética (jejum, estadia solitária na selva, impressão de desmembramento do corpo). A personalidade do xamã singulariza-se frequentemente por malformações físicas ou por um comportamento neuropático (solidão, visões, crise de histerismo), mas a sua cura por ressurreição iniciática, se não o integra totalmente na comunidade, pelo menos cria-lhe uma auréola de prestígio, graças aos poderes sobrenaturais que lhe são reconhecidos.

Entre os Buriatas da Sibéria, o xamã trepa até ao cimo do tronco de uma bétula sagrada, o que simboliza a sua ascensão até aos espíritos celestes. Através desta viagem, procura captar, em benefício da comunidade, o poder do sagrado para fins propiciatórios, terapêuticos, de iluminação e de esconjuro.

c) *Feitiçaria*

Na medida em que consiste no poder de prejudicar os outros através de uma acção espiritual, a feitiçaria distingue-se do bruxedo produzido pelo lançador de sortes, que utiliza os elementos materiais. Os Azandés do Sudão, estudados por Evans-Pritchard, consideram-na ligada a uma substância encerrada no corpo de certos indivíduos e que se herda de um parente do mesmo sexo. Ninguém sabe se possui ou não esta substância. Na medida em que são inconscientes das suas acções nocivas, os feiticeiros não são objecto de qualquer reprovação moral, mas a feitiçaria é uma fonte importante de preocupações, sobretudo quando há conflitos latentes no seio de uma sociedade.

Condenada como acto ofensivo, maléfico para o grupo social porque responsabilizada pela doença, morte, más colheitas, fracasso nos negócios..., a agressão feiticeira é supostamente empreendida por um indivíduo ou um grupo de indivíduos suspeitos de devorar as almas (vampirismo), de possuir o dom da dupla visão, de circular de noite, de poder desaparecer à sua vontade (inversão e acção "como dúplice"), de se metamorfosear. As orgias feiticeirescas são evocadas em termos de festim canibalesco, após o assassínio de uma pessoa. Entre os critérios de reconhecimento dos feiticeiros, figuram os desvios em relação à norma: os excessos de afeição, de pobreza ou de riqueza, a esterilidade, o encarniçamento na luta pelo poder, o rancor tenaz contra um membro da família. O oráculo, meio de detectar os feiticeiros, indica também os meios rituais de se proteger deles (encantamento, exorcismo, exílio, morte).

A teologia do século XVI amalgamava, a propósito das feiticeiras, o delírio do espírito, a heresia e o frenesi sexual. O trato com o diabo favorecia a caça às bruxas e o sacrifício ritual visava acalmar os medos nascidos das perturbações deste período de mutação.

A feitiçaria alimenta o receio dos desvios e tendências nocivas à sociedade, e joga assim a favor da manutenção da ordem social. Sociologicamente, ela constitui uma segurança, na medida em que se imagina ter identificado um mal e conseguido remediá-lo. Psicologicamente, joga como reagente, identificando os motivos de ansiedade e fazendo derivar a hostilidade para um factor exacto de prejuízo. Ideologicamente, explica a selectividade dos acidentes, infelicidades, calamidades que atinge uns e não outros, pela acção de espíritos maus. Esclarece-se também através dos infortúnios da líbido e pela projecção das paixões.

Segundo M. Augé, ela é sempre um imaginário de acusações recíprocas.

III - ACREDITAR EM MITOS

a) *Representações colectivas metafóricas*
Embora as crenças na magia ou na feitiçaria estejam tão arraigadas quanto as crenças na religião, foi, no entanto, na religião que melhor se explicitaram as crenças em mitos mais ou menos desenvolvidos. Como narrativa fundadora, o mito enuncia numa linguagem metafórica as bases do credo de um povo, quanto aos seus deuses, quanto à origem de certos factos perturbadores no mundo, como sejam a vida e a morte e quanto às relações do homem com o sagrado.

Quer seja cosmogónico, explicando a criação e a estrutura do mundo (génese bíblica), ou então etiológico e de fundação, justificando uma ordem de coisas pela sua projecção no passado (origem da morte, instalação de uma dinastia, desigualdade das castas, fundação de uma cidade), o mito apresenta-se como situado no início da história ou de uma história cujas tradições justifica. Reveste-se de um carácter sério e sagrado, na medida em que remete para algo que nos ultrapassa. Transforma num acto exacto, inicial e limitado no tempo uma realidade física ou moral permanente, ligando-a à sua instituição sobrenatural e, por esse facto, aproxima de um passado primitivo o destino imediato de cada homem. A história vê-se como que integrada na ordem do mito, que transpõe a realidade para o plano metafórico.

Enquanto forma de revelação que suscita uma crença firme, o mito é palavra carregada de poder que explica a ordem existente, por vezes de maneira esotérica, e fornecendo as bases de comportamentos morais e rituais. É recitado em fragmentos, por altura das festas. É aprendido, quando das iniciações. Circula de geração em geração, modificando-se nos pormenores, degenerando por vezes em fábula ou lenda.

Trata-se, pois, apesar de se encontrar fragmentado, aludido, disperso em diversas narrativas, de uma carta pragmática, justificadora e normalizadora, que, segundo Lévi-Strauss, tem latente um sistema de classificação, indicando em filigrana o inconsciente de um povo e enunciando em símbolos o sentido de questões primordiais: Como se constituiu uma sociedade? Que sentido reveste esta instituição? Porquê este interdito? A que corresponde determinada prerrogativa em determinada hierarquia? Donde tira o poder a sua legitimidade? Donde vimos? O que somos? Para onde vamos?

b) *A análise estrutural dos mitos*

Quando, na sua obra *Mythologiques*, Lévi-Strauss propõe uma análise estrutural de várias centenas de mitos, encara-os menos como reflexos de culturas e de relações sociais do que como formas de pensamento. Dado que o pensamento mítico se empenha em encontrar soluções imaginárias para contradições reais e insolúveis, e que, para tal, os mitos transmitem a mesma mensagem com o auxílio de vários códigos (culinário, acústico, cosmológico...), e se diversificam geralmente em variantes até ao esgotamento das possibilidades lógicas de mediação das oposições, é possível: 1) ler, para além das metáforas, os conceitos e as oposições. Considerado como uma metalinguagem, o mito é recortado em unidades constitutivas de acontecimentos sucessivos, ou mitemas, que são eles próprios classificados empiricamente, de forma a pôr em evidência os pacotes de relações e para procurar as oposições pertinentes, constitutivas da estrutura do mito; 2) estudar as variantes e os mitos similares noutras culturas, tomando por princípio que os mitos são inteligíveis por si sós, que se esclarecem e explicam uns aos outros e que o seu sentido está em função da posição que ocupam em relação a outros mitos; estudar-se-ão os fenómenos de redundância (repetição das mesmas sequências), a estrutura folheada do mito (conjunto das versões que podem sobrepor-se), a constituição dos grupos de transformação (desvios diferenciais, inversão), a lei (relação canónica) dos grupos de transformação.

Do mito de Édipo desprende-se, assim, a ideia essencial da oposição entre a origem ctónica do homem (série Natureza) e a sua origem familiar (série cultura), sendo os dois elementos tratados sob os seus pólos negativo e positivo: o homem tem as fraquezas que se têm na terra, mas pode também enfrentar poderes sobre-humanos; o parentesco é simultaneamente alargado pelo assassinato do pai e demasiado estreito no incesto.

c) *Protagonistas do mito*

Como actores principais das cosmogonias das origens do mundo, os mitos revelam-nos quer uma força criadora mais ou menos impessoal, como o mana de que fala Durkheim, quer um deus mais ou menos antropomorfizado, afastado ou preocupado com a sua criação, apresentando os traços de um pai ou de um rei primordial ou então de uma deusa da terra (Ceres), ou ainda das divindades simbolizadas por fenómenos tais como o trovão, a varíola, o metal cortante ou percuciente no mundo ioruba. Nas origens, é frequente também encontrarem-se antepassados fundadores (quatro, entre os Fulas), um herói civilizador ou um demiurgo que completa a criação (Niicangue, entre os Chiluques), uma primeira humanidade ainda sub-humana, surgindo de uma fenda no solo, da selva ou de uma termiteira. No discurso mítico, fervilha todo um simbolismo que se refere ao ambiente habitual das populações. Na cabaça primordial, entre os Iorubas e os Fons do Benim, a taça côncava representa a terra e a tampa convexa representa o céu. Entre os Dogões do Mali, o mal no mundo foi provocado pela raposa pálida, chamada Iurugu. Entre os Falis dos Camarões, a união da tartaruga e do sapo, seres do mundo cultivado, deu nascimento ao crocodilo e ao varano, pertencentes ao mundo selvagem. Entre os pastores Tutsis, do Burundi, a eleição do novo rei operava-se através da leitura das pegadas das vacas reais, conduzidas para fora da cerca do rei defunto, porque a vaca desempenhava um papel importante nos mitos.

Mas o facto de os antepassados terem interferido no início ou serem considerados como génios intercessores, não permite que se reduzam as religiões primitivas a um simples ancestralismo (ou manismo), da mesma maneira que a apreensão dos fenómenos estranhos da Natureza como significantes privilegiados e como tecido de mensagens para interpretação não permite falar de naturalismo, ou ainda de feitiçaria, se se trata de objectos venerados como suporte de poderes mágicos ou religiosos. E se as religiões antigas foram classificadas como paganismo, foi porque se tratava de cultos camponeses (*paganus*), comportando o culto da terra como deusa mãe e ritos agrários de fecundidade. A palavra "animismo", pelo contrário, parece ter tido maior fortuna para designar as religiões primitivas, na medida em que a crença nos espíritos puros ou incarnados aparece como essencial.

d) *As almas como princípios vitais*

Nas sociedades tradicionais, a alma não é necessariamente a forma particularizada de uma força sobrenatural geral e indiferenciada, ou o espírito-génio residente numa realidade material, ou o protótipo único da noção do eu e da pessoa, no sentido moral e jurídico. Em certos seres de ordem material ou biológica, reconhecem-se um ou vários poderes imanentes, princípios de um dinamismo individualizado, ainda que as concepções permaneçam muitas vezes pouco homogéneas e pouco precisas.

O primeiro a propor uma teoria da religião chamada animismo, foi Tylor; pensa que a evolução dos sistemas religiosos tem a sua origem na crença em seres espirituais. No entanto, foi reconhecida como errónea a sua interpretação das sequências históricas seguintes: crença na dúplice, atribuição de uma alma aos animais, depois aos objectos, culto dos manes e dos antepassados, feitiçaria, idolatria, politeísmo e monoteísmo.

Muitas sociedades acreditam na existência de várias almas no mesmo indivíduo, cada uma delas com uma função distinta. Para os Fangues do Gabão, há sete tipos de alma, representados através de suportes funcionais (cérebro, coração), das imagens (sombra, fantasma), de símbolos (nome, sinal de carácter), ou então como princípio de actividade.

Para os Bambaras do Mali, o homem possui duas almas gémeas (*ni* e *dya*), dadas pelo génio Faro. O *tere*, simultaneamente carácter, consciência e força, é-lhe dado pelo génio Pemba; enfim, do génio Muso Koroni cada indivíduo recebe o seu *wâzo*, força nefasta que reside no prepúcio ou no clítoris e que desaparece no momento da circuncisão ou da excisão.

Entre os Euas do Togo, que chamam *luvo* à alma que subsiste após a morte e *gbogbo* ao sopro de vida, o indivíduo, pré-existindo em estado de espírito antes de encarnar, chega a acordo com o seu criador supremo, *Mawu-Se*, para escolher o próprio destino. Esta escolha supostamente opera-se no campo *bome*, lugar de existência pré-natal, espécie de reservatório de vidas estagnantes e infantis, onde a mãe primordial, *Bomeno*, recorta a argila para fabricar recém-nascidos e enviá-los para o corpo de uma mulher. Os mitos da origem de cada indivíduo fazem intervir as noções de escolha inicial da sua vida (*gbetsi*), de reprodução de um determinado carácter (*kpoli*) e de reencarnação de um antepassado (*dzoto*).

Geralmente, concede-se maior importância ao poder de animação (*anima*) do que à faculdade de representação (*animus*). E a noção de vida *post mortem* de algum elemento espiritual da pessoa é quase geral. Quanto aos espíritos fora do homem, cada sociedade elabora miticamente grande multiplicidade deles.

e) *As noções-feitiços de Durkheim*

Para ordenar as representações colectivas apresentadas nas religiões a que chamava primitivas, Durkheim quis sistematizá-las em volta de noções-chave que considerava elementares e fundamentias.

1) O *mana* designa em melanésio, segundo Codrington (1878), um poder impessoal e sobrenatural, verificado de forma completamente empírica numa acção eficaz, em algo de grande e fora do

habitual que suscita espanto, terror ou admiração. Esta noção ambígua, sinónimo de sorte (como a *báraka* árabe), autoridade, diversidade, poder eficaz..., deve a sua voga ao que tem de impreciso. Mauss serve-se dela para explicar a reverência a respeito de uma magia surpreendente porque domina forças extraordinárias. Durkheim aponta como fundamento do totemismo australiano esta mesma noção de força anónima e difusa, espécie de deus impessoal imanente no mundo, diluído numa multidão de coisas e que corresponderia ao *manitu* algonquino, ao *wakan* siú, ao *orenda* hurão. O *mana*, princípio vital presente nos homens e nos seus tótemes, seria um produto da sociedade, que tem nela algo de sagrado.

2) O **totem**, de uma palavra da tribo algonquina dos Ojibuás, *ototeman*, que designa as categorias de espécies vegetais e animais utilizados para dar nome a um clã, seria para Durkheim um princípio de pertença, indicando a consubstancialidade mística entre aqueles que usarem o nome do mesmo totem, que lhe prestarem culto e que se reconhecerem como parentes. Emblema representado nos postes, nas armas ou nos corpos, o animal ou o objecto epónimo do clã teria alguma relação com o antepassado mítico do grupo e estaria na origem de proibições alimentares (não se come o animal totémico) e sexuais (casa-se fora do seu grupo totémico). A. Elkin conserva a doutrina mas distingue quatro formas de totemismo na Austrália. É necessário esperar por Lévi-Strauss para demonstrar que o totemismo não é a base de todas as religiões primitivas e que se reduz a um sistema de classificação e de correspondências metafóricas entre Natureza e cultura.

3) O **tabu**, do polinésio *tapu*, designa uma interdito sacralizado, ao mesmo tempo que a qualidade daquilo que é atingido pela proibição, porque consagrado ou porque impuro. Acredita-se que a sua transgressão arrasta uma calamidade, uma desgraça ou uma mancha. Muitas vezes, é estabelecido por pessoas de autoridade, após interpretação de experiências desagradáveis, de sonhos, de visões ou de mitos. Tem por função proteger o valor de certos

bens e de seres frágeis, ao mesmo tempo que submete o indivíduo à lei do grupo. Em *The Golden Bough*, J. Frazer distingue diversas formas de tabus, tais como actos (incesto, assassínio...), pessoas (reis, sacerdotes, pessoas de luto, mulheres menstruadas, guerreiros...), coisas (sangue, armas cortantes, cabelos...), palavras (nomes de divindades, de pessoas consagradas, de mortos, de objectos impuros...). Em *Totem e Tabu*, Freud considera o tabu como uma coacção limitadora do desejo, regulamentado pela lei do pai, e apresenta como exemplo o facto de se evitar ver e falar com a sogra. Para Lévi-Strauss, o tabu entra nos jogos de oposição lógica que marcam a diferença e a ordem dos valores.

Uma vez despojado de toda a maquinaria intelectual que mistifica estas três noções, resta simplesmente que, em toda a religião, existe a crença em forças superiores ao homem, princípios de integração social e de distinção dos grupos e dos papéis, assim como das proibições morais. *Mana*, totem, tabu? Não condensemos as realidades muito variadas nas suas expressões.

IV - PRATICAR RITOS

a) *Definições e distinções*

Embora existam ritos profanos, por exemplo as boas maneiras à mesa, ou as adoptadas nos encontros políticos, o termo "rito", inicialmente de inspiração religiosa, designa um conjunto de acto repetitivos e codificados, por vezes solenes, de ordem verbal, gestual ou de postura, com forte carga simbólica, fundados sobre a crença na força actuante de seres ou de poderes sagrados, com os quais o homem tenta comunicar, visando obter um determinado efeito. Por extensão, todo o comportamento estereotipado, repetitivo e compulsivo (ritos de sedução no animal, de submissão, de marcação do território). Comporta sequências de acções, representações, meios de comunicação, meios reais e simbólicos combinados com valores decisivos, que a comunidade procura traduzir através de comportamentos adequados.

Todas as religiões supõem dois tipos de relações: dos homens com os deuses, e, inversamente, dos deuses com os homens; as primeiras constituem o domínio dos *sacra* (ritos sacramentais, sacrifícios, orações, apelando eventualmente para especialistas do culto), os segundos são os *signa*, que dispensam o apelo aos *sacra* e dão a impressão de uma imediatez, apesar de estarem ligados a técnicas de interpretação que relevam da mística. Trata-se, por exemplo, de palavras oraculares, das mensagens divinatórias, das "possessões", de que voltaremos a falar. Mas a relação imediata dos homens com os deuses pode também estar associada a técnicas (mortificação, ioga, meditação, jejum) ou a instituições (ascetismo, monaquismo, xamanismo).

Ao fundamentar-se na relação com o sagrado, Mauss distingue os ritos positivos de acção participante, como a oração, a oferenda, o sacrifício; e os ritos negativos, tais como os tabus sexuais e alimentares ou a ascese, que proibem o contacto com um poder perigoso. Durkheim acrescenta-lhe os ritos expiatórios e de purificação, que visam libertar de uma impureza contagiosa, por altura de um luto, por exemplo, pela água ou pelo fogo ou pela expulsão de um bode expiatório, carregado com os pecados do grupo.

Manual ou verbal, o rito mantém uma certa relação com a ordem, por isso distinguem-se os ritos de inversão (incesto real, transgressão temporariamente permitida das normas) e os ritos de conversão, para transcender a desordem ou dedicar um fiel aos poderes sagrados. Turner opõe os ritos de aflição, quando do aparecimento de uma desgraça, aos ritos *life-crisis*, que marcam regularmente as etapas da vida.

Ritos de formas relativamente parecidas podem visar diferentes finalidades: pedido de chuva, de fecundidade..., interrogação do transcendente na adivinhação, acção de graças após um nascimento, uma colheita, uma vitória, dessacralização para tornar profano um objecto de culto, comemoração, vingança, propiciação, regeneração, etc.

b) *Exemplos e funções*

Particularmente estudados pelos antropólogos, os ritos de iniciação e de sacrifício merecem alguma explicação. A **iniciação** apresenta-se como um rito de passagem acompanhado de provas, destinado a introduzir os candidatos num novo estatuto, por exemplo o de uma classe de idade, na época da puberdade, de uma confraria de recrutamento selectivo ou de uma sociedade secreta.

Segundo Van Gennep, estes ritos comportam três etapas: 1) separação e rotura com o mundo profano; 2) marginalização num local sagrado e formação para uma nova maneira de ser; 3) ressurreição simbólica e agregação na sociedade, com um estatuto superior. Após uma morte simbólica, os noviços, colocados sob a orientação de instrutores, são submetidos a uma ascese, fazem a aprendizagem de ritos e recebem a revelação de um saber sobre a sociedade que os acolhe. A mudança de estatuto manifesta-se por ocasião de festas solenes, com um novo nome, com enfeites, marcas corporais (por exemplo, a circuncisão, a escarificação) e, por vezes, uma nova linguagem, própria dos iniciados. A iniciação marca uma transformação memorável na vida do indivíduo e requer fidelidade às normas da comunidade onde os postulantes são introduzidos.

Quanto ao **sacrifício**, quer tenha sido inicialmente uma oferta interessada feita aos espíritos (E.B.Tylor) quer seja a sobrevivência do assassínio dos homens-deuses (J. Frazer), ou quer a comunhão totémica tenha sido anterior à oblação sacrificial (W.R.Smith), trata-se de outras tantas especulações inverificáveis sobre a origem do sacrifício. Mauss e Bataille não fazem senão aproximar o significado do sacrifício por imagens; o primeiro supõe que o animal sacrificial transfere para o sacrificante a marca divina que recebeu da consagração; o segundo, que o sacrifício opera como a morte, na medida em que restitui um valor perdido, por intermédio do abandono desse valor. A partir de casos africanos, M. Griaule insiste na redistribuição de energia: a imolação liberta a força vital contida no sangue da vítima; alimentada por este sangue, a divindade, em troca, faz beneficiar o homem de uma parte da sua força.

A violência afastada, sublimada e transcendida no sacrifício, não é o paradigma de todos os ritos, apesar das afirmações de R. Girard, mas a negociação com uma alteridade, deus ou um poder social, do qual se procuram as vantagens através de uma contradádiva; aparece claramente como uma característica constante do rito. É falso afirmar que todos os ritos fazem reviver o tempo sagrado da génese, mas é verdade que visam domesticar os acasos do tempo destruidor.

A ordem da experiência vivida é uma ordem de poderes, e o rito, ao teatralizar os papéis, sugere que a segurança perfeita consiste em ocupar o seu lugar e em respeitar os códigos de relações entre os níveis de uma hierarquia, no cume da qual o poder, aureolado com o sagrado, obtém os meios da sua dominação. À função fundamental de integração social dos ritos acrescentam-se geralmente as de legitimação de um poder, de orientação moral, de troca intensiva, emotiva, mobilizadora, séria certamente, mas por vezes também lúdica num contexto festivo.

c) *Dos cultos ancestrais aos cultos sincréticos*

Quando diversos ritos se articulam entre si e com as crenças, fala-se então de **culto**. Num sentido lato, um culto é constituído pelo conjunto das marcas de submissão e de deferência para com um poder sacralizado que se venera. Num sentido restrito, designa as cerimónias e ritos destinados a prestar homenagem a seres sagrados (deus, santos, antepassados, herói) ou a objectos (ídolos, relíquias) cujo poder se supõe emanar da sua relação com uma entidade sobrenatural ou com a pessoa à qual se referem. Sob o termo de "culto popular", fenómeno muito estudado pelos folcloristas, classificam-se práticas, ditas por vezes supersticiosas, à margem das religiões instituídas e muitas vezes por elas toleradas, como a veneração das imagens piedosas, dos animais amigos dos santos, dos testemunhos simbólicos de poderes sagrados: fogo, fonte, rochedo, Sol...

Na antiguidade romana, o **culto imperial** era endereçado ao "génio" do soberano. Nos cesarismos e totalitarismos modernos, à volta de chefes como Hitler Estaline, Mao, desenvolveu-se um culto da personalidade, orquestrado pela propaganda.

Na Oceânia, no Extremo Oriente como em África, **os antepassados**, especialmente o antepassado fundador de uma linhagem, são objecto de culto na medida em que, numa perspectiva de ligação entre as gerações, assegurada pela renovação cíclica da vida, sobrevivem na lembrança dos vivos e são junto deles interlocutores e tutores privilegiados, que convém venerar como regeneradores da linhagem e garantes da ordem que contribuíram para constituir.

Na China, recebem sacrifícios, as pessoas prostram-se diante do altar que se supõe conter a sua alma, salmodiam-se orações, fazem-se-lhes libações e queima-se-lhes incenso. Através de sonhos e presságios estabelece-se comunicação com eles.

Em África, eles são invocados em todas as circunstâncias importantes da vida, recebem oferendas para os incitarem a agir ou para os apaziguar quando sobrevem uma desgraça. A linhagem espera deles riqueza, saúde e paz.

O culto dos antepassados deve diferenciar-se do **culto dos mortos**, que supõe muitas vezes um tratamento do corpo (purificação, exposição, verificação do cadáver, etc.). Alguns mortos não têm acesso à ancestralidade e atormentam os vivos, que se protegem através de ritos. Entre os Índios sul-americanos estudados por P. Clastres, o pensamento indígena revela uma relação positiva com os antepassados, mas a comunidade dos vivos rejeita os mortos recentes, cujas almas errantes são fonte de perigo.

A América Latina, que constitui um cadinho de grupos de origens diversas, amalgamou elementos religiosos diversos em cultos chamados sincréticos; mas o fenómeno encontra-se em todas as partes do mundo. O **sincretismo** é um processo contra-aculturativo, que implica assimilação de mitos, empréstimo de ritos, associação de símbolos, por vezes inversão semântica e reinterpretação de mensagens supostamente divinas.

No culto vodu, transplantado pelos escravos, desde o século XVII, para as Antilhas (especialmente para o Haiti) e para o Brasil (*candomblé* da Baía, *macumba* carioca, *catimbó* e *umbanda*), ritos institucionalizados, realizados num quadro associativo hierarquizado, permitem, entre outras formas, através de transes de indivíduos privilegiados, fazer comunicar a comunidade religiosa com os espíritos.

No Brasil, são notórias as influências pré-colombianas nos cultos *pajelança*(*) da Amazónia, onde o animismo fluvial e zoolátrico se manteve em parte com as práticas xamânicas, a crença na transmigração das almas e um forte uso de estimulantes: tabaco, álcool, defumação. As influências cristãs descobrem-se um pouco por toda a parte através do código ético, do calendário litúrgico, do culto dos santos, da lógica sacramental, da organização em paróquias e freguesias. O toque africano aparece principalmente no culto dos orixás, de origem ioruba, e no culto dos antepassados, comum a toda a área banto. Assim como a magia e o telurismo marcam os cultos *umbanda* nas camadas populares, também o espiritismo de Allan Kardec e o ocultismo do século XIX europeu se introduziram nas camadas médias, ao mesmo tempo que certos métodos de controlo mental, de origem asiática.

Os cultos melanésios do Cargueiro fundamentam-se na crença mágico-religiosa, suscitada a partir de 1890 pelo profeta Tokerau e revivificada pela crise da Segunda Guerra Mundial, com a chegada de um barco salvador, carregado de alimentos, de apetrechos e de bens. Os expedidores destes produtos seriam os antepassados. Para apressar este regresso dos mortos, pregadores locais apelaram ao abandono do trabalho, outros à construção de barracões de armazenamento.

Em África, como noutros sítios, a linguagem religiosa dos profetismos e dos messianismos apresenta uma carga fortemente contestatária. Destruidor de feitiços, o vidente harrista Albert

---

* Benzedura, feitiçaria (N. do T.)

Atcho, pelas suas confissões e prescrições terapêuticas, acelera a passagem da consciência persecutiva do mal, própria da nosografia africana, para a culpabilização pessoal interiorizada, própria do cristianismo. No culto *bwiti* do Gabão, o antepassado civilizador Nzame é identificado simultaneamente com Adão pecador e com o seu dúplice, Cristo redentor. No *kimbanguismo* do Zaire, como no *matsuanismo* do Congo, misturam-se as referências à Bíblia e ao culto dos antepassados; é em Simão Kimbangu que o Espírito Santo encarna. Os adeptos geralmente tiram certas vantagens da sua participação nas práticas cultuais: sentimento de protecção por parte de um espírito, assistência mútua, êxito social ou melhoria do seu estatuto pessoal.

d) *Sinais: possessão e adivinhação*

Muitos destes cultos sincréticos conservaram, entre outros, os ritos tradicionais, em África por exemplo, da possessão e da adivinhação, que exigem algum desenvolvimento.

A **possessão** é o estado de um indivíduo que se considera estar sob o domínio de uma força sobrenatural, que o transforma num instrumento da sua vontade, quer com uma finalidade terapêutica pessoal, quer como mediação pelo posssuído de uma mensagem divinatória para a sociedade. Distingue-se o transe, auxiliado por técnicas (tambor, jejum, substância psicotrópica), acompanhado de automatismos numa situação de tensão psíquica - mas sem invasão do indivíduo por agentes extra-humanos - , da possessão por um espírito, não implicando necessariamente transe ou apenas no decurso do exorcismo. Entre os Mofus dos Camarões, por exemplo, as mulheres adivinhas entram em transe no momento da consulta divinatória; os homens adivinhos, em estado permanente de possessão, não têm transe. Distinguem-se também, embora os dois estados relevem de uma mesma sintomatologia (desordens psicossomáticas, catalepsia, imbecilidade, mutismo ou logorreia): 1) o *adorcismo*: regresso da nova alma benéfica ou eleição do corpo de uma pessoa como receptáculo de um espírito benevolente (ex.: os

Songais, do Níger); 2) o exorcismo: extracção de um poder ou de uma alma estranha, perigosa ou maléfica (espíritos agressores dos inimigos zulos entre os Tongas do Malavi). Entre os Teques do Congo, a possessão das mulheres por um génio da água e segundo uma hereditariedade matrilinear, atinge o cume na altura da crise, seguida por reclusão terapêutica, durante a qual é dominado o espírito responsável pela desgraça da doença. A possessão pode funcionar como meio terapêutico individual (*bori* haúça, exclusivamente feminino) ou como sistema, codificado pela iniciação e institucionalizado, de comunicação com os espíritos (vodu haitiano).

Quanto à **adivinhação**, ela supõe um cosmos codificado, carregado de significantes para descriptar, quer em leitura directa nos sonhos, nos presságios, na pelagem dos bovídeos..., quer numa leitura provocada pelo exame do cadáver, as ordálias, o oráculo, o transe ou a interpretação engenhosa de sinais diversos: cartas, linhas da mão, astros, contagem de grãos, etc.

Processos diversos desigualmente complexos coexistem geralmente num mesmo grupo social, processos que fazem apelo a adivinhos diferentes e que se ligam estreitamente às condições de existência colectiva. Assim, nas civilizações de agricultores, é mais frequente utilizar as sementes ou as nozes, ver interpretadas as convulsões de um frango moribundo, enquanto a interpretação das pegadas de animais selvagens ou do voo das aves domina numa cultura de caçadores e o exame das entranhas de animais nas culturas de pastores.

A adivinhação serve para reduzir as zonas de incerteza referentes ao futuro individual ou a um projecto colectivo, assim como para apreender a possibilidade de operar uma escolha judiciosa nos momentos difíceis (morte, doença, feitiçaria, infortúnio, rito de passagem); mas pode também revelar o que se produziu ou que está a acontecer, de forma a ajustar o comportamento em função de contextos favoráveis ou desfavoráveis ao consulente.

V - *Os dinamismos religiosos contemporâneos*

As ideias, muitas vezes acentuadas, de resistência das religiões às mudanças, de fidelidade à tradição, de permanência dos arquétipos, tendem a ocultar a dinâmica vital das religiões. Na *Anthropologie religieuse des Evé du Togo*, apontei alguns elementos de uma dinâmica do panteão, vários deles extrapoláveis a muitas outras religiões. Existe transferência de cultos de um lugar para outro, assimilação das divindades dos vencedores ou dos vencidos, compra de vodus para uma eficácia terapêutica, herança familiar com eventuais deficiências na transmissão de mitos e de ritos, revelação divinatória gerando a instalação de um génio protector, promoção de um antepassado à categoria de divindade, abandono de ritos referentes a poderes considerados como inoperantes, reviviscência de um culto quando se atribui um milagre a este ou àquele poder espiritual.

Apesar de tudo, existe simultaneamente em África uma fragmentação de crenças e de ritos tradicionais por secularização. Os velhos atribuem as desgraças da actualidade ao abandono dos cultos, à perda de confiança no socorro dos deuses protectores da família, à transgressão dos costumes ancestrais.

Antes de procurarmos as causas da erosão do sagrado, que não conduz necessariamente ao desaparecimento de toda a transcendência, deve verificar-se a eliminação progressiva do recurso a um transmundo para explicar a realidade. Ao fenómeno político de integração das etnias, corresponde, queira-se ou não, a desintegração das culturas autóctones, particularmente sob o seu aspecto religioso. As proibições são cada vez menos respeitadas, as iniciações não se praticam como outrora; a juventude encara como fábulas os mitos tradicionais; os ritos caem em desuso; as presenças no culto tornam-se cada vez mais raras; os guardiões do saber religioso envelhecem e desaparecem sem serem substituídos. De um sistema de crenças unificadas não se conservam senão fragmentos, por falta de transmissores de um material exclusivamente oral e por falta de vivência dos mitos tradicionais nos ritos.

Concorrenciada por um conjunto de mensagens e de símbolos que não saem dela, a religião tradicional é vítima de ataques em todos os quadrantes: dessacralização de uma economia individualizada e mercantil, emancipação das religiões do clã pelo trabalho ao longe, relaxamento do controlo social no meio urbano, desaparecimento do rei-sacerdote, substituição da educação familiar pela escola laica, etc.

Do jogo conjugado da dinâmica interna e da acção das forças externas, na sua maioria destruidoras, resulta uma dessacralização das tradições que leva ao enfraquecimento dos valores morais e que opera uma folclorização dos ritos, assim como a metamorfose dos mitos e das lendas.

Ao invés, verificam-se numerosas conversões às religiões de salvação: cristianismo e islamismo em África e na Oceânia, budismo no Oriente, acompanhadas de um fervor de neófito, que tem como efeito, quanto aos cultos tradicionais, levar à rejeição de tudo aquilo que não está conforme aos dogmas da nova religião, mesmo o culto dos feitiços; mas também transferir, por exemplo, para o cristianismo, expressões rituais tradicionais, valores respeitados e até atitudes de veneração para com os antepassados, que desde logo deixam de ser considerados como divindades. A enculturação da Igreja africana, por exemplo, é o processo segundo o qual uma igreja encarna numa cultura e recupera dela os elementos que lhe imprimem uma marca própria.

Não há dúvida de que existe simultaneamente uma transferência do religioso para a experiência política. A minha obra *Les Liturgies Politiques* [As Liturgias Políticas] mostra de que maneira o poder se oferece como espectáculo e procura manter a sua imagem fascinante e temível, através de celebrações que lhe conferem uma auréola de sacralidade.

Mas, como que para não perder elementos do sagrado nas perturbações inerentes à modernidade, observam-se várias acumulações: acumulação de religiões diversas numa mesma área geográfica e étnica, acumulação de obrigações num mesmo indivíduo, acumulação de traços tirados de uma religião nova. Um novo cristão continua a venerar os seus antepassados, mas também a recorrer à adivinhação e à magia, para se proteger contra o stress das mudanças brutais que o afectam. Continua a acreditar na feitiçaria, ao mesmo tempo que procura garantias protectoras nas adesões religiosas, quer simultâneas quer sucessivas. Enfim, como foi dito, a contra-aculturação religiosa é visível na multiplicação das seitas, dos movimentos messiânicos e sincréticos que recuperam elementos rituais tradicionais: o sonho transmissor de mensagens, a visão dos seres de coração puro, a cura milagrosa, a virtude regeneradora e curativa da água, o uso de uma túnica branca para os ritos, o receio escatológico de um castigo, a dança, o transe para se unir ao seu deus, a obtenção de bens materiais e de uma boa saúde como sinal de eleição. Os novos significados utilizam antigos significantes. Os valores humanos e morais fundamentais que serviam de suporte às religiões tradicionais são assumidos por outras religiões.

7
UM OLHAR SOBRE A ANTROPOLOGIA CONTEMPORÂNEA

O actual florescimento das pesquisas antropológicas revela-se tanto a propósito de culturas em vias de extinção, como a propósito de sociedades que, em virtude das suas mutações, oferecem novos campos de estudo. Sem a pretensão de fornecermos um panorama completo de todos os sectores de pesquisa e para suprir as lacunas da nossa anterior exposição, propomos agora alguns pontos de vista parciais, é certo, mas, apesar disso, representativos.

A antropologia asiática é ainda jovem e mal conhecida, a dos países do Leste europeu sofreu a doutrinação comunista; assim sendo, vamos procurar algumas orientações fundamentais apenas nas antropologias norte-americana e europeias. Seguidamente, concentrar-nos-emos na antropologia da França, diferente da antropologia em França, que incluiria, por exemplo, as pesquisas africanistas, oceanistas, americanistas. Toda a escolha implica sacrifícios, estes eventualmente compensados por algumas referências a grandes nomes nos capítulos anteriores. Enfim, envolveremos os nossos leitores numa reflexão sobre algumas questões pendentes, que exigem ser tratadas com cambiantes e sem respostas peremptórias.

I - ANTROPOLOGIAS DE CORES NACIONAIS

a) *Antropologia norte-americana*

O facto de os Estados Unidos possuirem no seu território uma população autóctone de Índios, serviu de estimulante à reflexão antropológica. Morgan faz investigações entre os Iroqueses do Estado de Nova Iorque, Boas entre os Índios da costa noroeste, Lowie entre os das planícies, Kroeber e sua esposa entre os da Califórnia. Por alturas da Segunda Guerra Mundial, a antropologia norte-americana entrega-se de preferência à análise da sua própria sociedade não-índia (brancos e negros), valorizando os seus ideais democráticos e humanistas. Depois da guerra, os antropólogos, sem abandonar o estudo da América contemporânea, participam nas pesquisas sobre a modernização e sobre o desenvolvimento do Terceiro Mundo. Nos anos setenta, sob a influência das correntes feministas, vê a luz do dia uma antropologia dos géneros masculino e feminino, corrigindo a problemática dos sexos.

Dada a dimensão do país, compreende-se que as orientações da etnologia sejam tão heterogénas quanto as suas universidades. Mesmo assim, o nosso breve estudo da história da disciplina mostra a influência capital dos EUA, ao lado da influência da Grã-Bretanha, na teorização e pesquisa de campo. Na profusão actual das pesquisas, raramente se vêem emergir líderes, salvo talvez Clifford Geertz, a cujo nome se liga a ideia de antropologia interpretativa aplicada especialmente ao Bali e a Marrocos. A cultura aparece-lhe como independente da estrutura social e da psicologia individual. A sua coerência interna revela-se através de uma visão do mundo (aspecto cognitivo) e de um *ethos* (aspecto afectivo e estilístico). A atenção prestada ao registo do simbólico (incluindo o pensamento), levam-no a interpretar os usos que os inquiridos fazem de um sistema. Vale mais "ler por cima do ombro dos indígenas", do que "tentar entrar na sua cabeça". No entanto, a descrição interpretativa deve ser conduzida em profundidade.

A corrente de interaccionismo simbólico, representada, entre outros, por E. Goffman, H.S. Becker, A. Strauss, graças à sua reflexão teórica, influenciou mais a sociologia do que a antropologia. Interessa-se pela experiência de vida dos actores sociais, pelo sentido que dão à sua acção, pelos gestos quotidianos que fazem, pelos sentimentos que experimentam. Procura entender os fenómenos na sua situação natural, fazendo-se a conceptualização durante o próprio processo de observação. No seu quotidiano, cada actor forja simultaneamente a sua identidade, negoceia, comunica e constrói o sentido das situações.

Enquanto Goffman estuda os ritos de interacção a partir da lógica dos actores, V. Turner (1920-1983) trata do fenómeno ritual (ritos de passagem da vida, ritos de desgraça dos Ndembos), sob o ângulo da sua encenação. Aventa a hipótese de que a manutenção de uma ordem supõe momentos de suspensão, durante os quais se representa um drama social, que tem por desfecho remodelações mais ou menos radicais.

Das diversas antropologias sul-americanas, reteremos sobretudo um despertar da disciplina nos anos vinte, por influência norte-americana, uma orientação prioritária para as sociedades índias, um estudo da aculturação das sociedades não-índias: campesinato microfundiário em mutação, sob o impacto do capitalismo, negros exprimindo-se em sincretismos religiosos, migrantes dos campos para as cidades, onde se agregam por vezes em bairros desfavorecidos. Além de pesquisas importantes sobre as relações raciais, assinalar-se-á que sociólogos e etnólogos fizeram equipa, muitas vezes, com economistas e agrónomos, para propor estudos de desenvolvimento dos seus respectivos países.

A finalidade do agente de mudança planificada consiste exactamente em elaborar uma estratégia de intervenção, em função de objectivos de desenvolvimento e das condições de vida de populações pouco alfabetizadas ou em más condições sanitárias. Apesar disso, acontece frequentemente que os conselhos do etnólogo ficam na gaveta, por não satisfazerem as agências que dirigem projectos segundo a sua própria ideia de modernização.

b) *Antropologia britânica*

A Grã-Bretanha é considerada, com razão, o berço da antropologia. A cada uma das teorias fundamentais já apresentadas pode associar-se um autor britânico. Embora actualmente se assista à decadência das efervescências teóricas, mantém-se no entanto a tradição das monografias descritivas. Estimulado por Jack Goody, nasce em Cambridge um novo interesse pela etnografia histórica comparada.

Professor em Oxford, Rodney Needham estudou grupos indonésios e malaios. O seu rigor e a sua precisão operaram maravilhas ao reporem em causa certas noções referentes ao parentesco, à filiação e ao casamento. Ficaram famosos os seus estudos sobre a noção de crença e sobre as classificações dualistas.

Mary Douglas, aluna de Evans-Pritchard em Oxford, que trabalhou sobre os Lelés do Zaire e que emigrou para os Estados Unidos em 1977, explica a actividade simbólica e as categorias do pensamento a partir do sistema social.

c) *Antropologias holandesa, belga e suíça*

Num projecto colonial elaborado pela antropologia holandesa, Josselin de Jong (1886-1964), em Leida, foi uma figura marcante. A formação antropológica era, sobretudo, destinada aos funcionários coloniais que trabalhavam na Indonésia. Após as independências, os pesquisadores holandeses fazem trabalho de campo nos quatro cantos do mundo e empenham-se em organizações de desenvolvimento. A partir de uma reflexão sobre o Sri Lanka, J. Schrijvers é, desde há uma dezena de anos, o promotor de uma corrente holandesa de antropologia feminista.

É fácil perceber que a colónia do Congo belga, depois os protectorados do Ruanda e do Urundi (Burundi) tenham sido também campos privilegiados da pesquisa etnológica na Bélgica. O museu real de Tervuren é prova disso. Assim como J. Vansina trouxe notável contributo ao estudo das tradições orais africanas e do reino kuba, no Zaire, também L. de Heusch, em Bruxelas, marcou a etnologia com os seus estudos sobre o sacrifício e com a análise estrutural de mitos e ritos bantos. Em Lovaina, os projectos de antropologia aplicada ao Terceiro Mundo após as independências foram conhecidos especialmente através da revista *Cultures et développement*, desaparecida em 1985.

Quanto à Suíça, manteve sempre uma estreita ligação entre o museu e o ensino. As correntes dominantes actualmente são as que dizem respeito ao domínio alpino, na antropologia urbana e na antropologia do desenvolvimento.

d) *Antropologia alemã*

Na Alemanha, a etnologia comporta dois sectores muito distintos: de um lado, a *Völkerkunde*, que trata dos povos não europeus exóticos; do outro, a *Volkskunde*, que estuda o folclore e as tradições locais no contexto europeu e, mais especificamente, germânico. A museografia desenvolveu o interesse pela cultura material; a filosofia e a espiritualidade alemãs orientaram os estudos (R.Thurnwald) para as produções mentais e para as religiões primitivas; a organização social foi o parente pobre desta etnologia, que viu, nos anos trinta, um declínio da *Völkerkunde*, a seguir à perda das colónias alemãs, após a Primeira Guerra Mundial, e um apego a tudo o que diz respeito ao mundo germânico, numa época de valorização da identidade nacional-popular. Brilhantes etnólogos alemães emigrados marcaram com a sua influência a antropologia dos Estados-Unidos, bem como a da Europa do Leste, onde são valorizadas as culturas de povos que reivindicam uma identidade nacional.

e) *Antropologia francesa*

Em França, o termo antropologia significou, durante muito tempo, antropologia física e biológica, enquanto a etnologia se interessava pelos costumes e tradições exóticas. Foi sobretudo no viveiro dos ensinamentos de filosofia e de sociologia que se desenvolveu a reflexão etnológica, por isso não causará espanto o seu teoricismo e o seu apego aos problemas das representações colectivas (mitologias, cosmologias, visões do mundo). Mauss, Lévy-Bruhl, Griaule, Leenhardt só se interessam pelas sociedades exóticas e deixam aos folcloristas o estudo das sociedades rurais europeias. Tal como a *Volkskunde* alemã, a corrente folclorista preocupa-se com o inventário sistemático dos dados e com a análise das variações, no tempo e no espaço, das tradições rurais. De 1931 a 1945, geógrafos (F.Vidal de la Blache, J. Brunhes, A. Dauzat) e historiadores (L. Febvre, M. Bloch) dão um valioso contributo para esta recolha de dados temáticos, relativos ao folclore e à cultura material, com uma concepção empírica e atomista dos factos. A estes inquéritos extensivos, científicos, cumulativos, tipológicos, de uma duração plurissecular no território nacional, vão substituir-se, depois da guerra, estudos intensivos, discernindo configurações singulares em toda a sua complexidade, estudos pontuais de micro-sociedades rurais, até mesmo biografias individuais. Verifica-se a supremacia do que é local e da monografia.

Simultaneamente, chamam a atenção as mutações urbanas e industriais, tal como em África, na Melanésia ou no Brasil, os sincretismos religiosos (messianismos, milenarismos, nativismos). A antropologia aplicada ao desenvolvimento por R. Bastide inclui na sua reflexão a concepção de projectos de desenvolvimento, as modalidades das suas aplicações, os efeitos de transformação nos grupos implicados. No Museu do Homem, com A. Leroi-Gourhan, A. Hadricourt, A. Schaeffner elaboram--se ao mesmo tempo pesquisas respectivamente de tecnologia comparada, de etnobotânica e de etno-musicologia. As influências de Lévi-Strauss e de Balandier, nos finais do anos cinquenta, são decisivas na constituição de equipas de investigação na Escola de Altos Estudos, no Collège de France, no CNRS [Centro Nacional de Investigação Científica], no ORSTOM [Gabinete de Investigação Científica e Técnica do Ultramar (que, em 1984, se transformou no Instituto Francês de Investigação

Científica para o Desenvolvimento em Cooperação)] e na Universidade. Os modelos de explicação estruturalistas, dinamistas e marxistas orientam brilhantes pesquisas de campo. Enquanto alguns preferem o testemunho vivido em detrimento da análise, a maioria desloca os seus interesses teóricos para a organização económica, social e familiar, ou para as contestações políticas, que se procura interpretar através de indicadores e no estudo de casos aprofundados. Balandier mostra o que têm de comum os objectos próximos e os objectos exóticos da etnologia, no momento em que a antropologia contemporânea redefine novos objectos em função dos problemas do mundo moderno.

A antropologia conhece então um renovo de prestígio, ao conceder uma parte importante à ideologia e ao simbolismo, quando aplica os seus métodos aos campos dos grandes conjuntos, da empresa, dos *media*, dos movimentos regionalistas, quando os historiadores da Antiguidade grega (Vernant, Veyne, Détienne, Vidal-Naquet) ou etno-historiadores do Terceiro Mundo (Tardits, Perrot) utilizam os seus métodos. A atenção actual às redes de solidariedade (vizinhança, entreajuda) e às relações sociais (patrono-cliente, posições de classe), junta-se aos problemas colocados pela psicologia social e pela sociologia.

Desde os anos sessenta, não faltou quem voltasse a pôr em causa as teorias e as temáticas de todas as ciências humanas, em correlação com uma uniformização produzida no mundo pelos valores da modernidade, ligados à industrialização e à urbanização, mas sobretudo por um modelo de desenvolvimento fundamentado no crescimento económico. Contra esta laminagem das diversidades, as vozes da etnologia fizeram-se ouvir, para preservar a pluralidade das culturas. Uma literatura sobre o etnocídio viu a luz do dia com R. Jaulin e P. Clastres. Ao mesmo tempo, a corrente marxista denuncia a hegemonia do centro, o Ocidente, sobre a periferia dos antigos países colonizados. Esta hegemonia do centro, também a sentem as minorias étnicas, regionais ou religiosas das sociedades industriais.

O local opõe-se por vezes ao global. Os micropoderes contradizem as lógicas de conjunto finalizadas, quando sentem desaparecer particularismos tradicionais, em nome de uma racionalidade económica orientada para o lucro ou sob o peso dos Estados-nações, dirigistas se não autoritários. Contra uma modificação social que se fazia acompanhar por um recuo das sociabilidades comunitárias, surgiram resistências ou pelo menos agitações e reinterpretações, que as teorias da aculturação e da desculturação ajudam a pensar. Em vez de inquéritos estatísticos sobre estes temas, os inquéritos directos sobre processos concretos e interactivos fornecem muito melhores informações.

Um panorama tão geral não dá bem conta da riqueza actual da antropologia francesa, por isso vamos especificar alguns campos particularmente ricos em que as colheitas são abundantes: o folclore, o rural, o local, o quotidiano e o simbólico, a cidade e a indústria, o parentesco. Se sacrificamos voluntariamente alguns aspectos da pesquisa africanista, oceanista, americanista, onde se ilustraram vários gigantes da etnologia, que terçaram as suas primeiras armas no Terceiro Mundo, é porque, para a maioria dos actuais estudantes de etnologia, estes sectores vão ser-lhes fechados.

Seria errado pensar que, por exemplo, os trabalhos de J. Soustelle sobre o México, de D. Paulme, G. Diegterlen, L.V. Thomas, E. de Dampierre, J. Lombard, J.-P. e A. Lebeuf, P. Mercier, etc., sobre determinada parte da África negra não tenha-m tido tanta ou talvez mais repercussão sobre a disciplina do que os trabalhos efectuados, depois, sobre a França. Se, por outro lado, se observa uma troca crescente entre temas e métodos da sociologia e da etnologia, é porque a actualidade africana, à volta das independências datadas dos anos sessenta, exigia a actualização dos dados recolhidos num novo contexto de sociologia política e económica (*cf.* os meus trabalhos sobre a Guiné). O resumo que se segue sobre a antropologia da França cobre, apenas, uma parte da antropologia realizada pelos Franceses.

II - A ANTROPOLOGIA DA FRANÇA

a) *O folclore*

Inicialmente atenta ao exotismo e às suas sobrevivências, a etnologia francesa levou algum tempo a interessar-se pelo meio europeu. É certo que algumas sociedades de cientistas se inclinaram, no século XX, sobre as tradições regionais e facilitaram o desenvolvimento da museografia a partir da história local; no entanto, a colheita muito empírica do folclore raramente deu aso a elaborações téoricas, mas apenas a especulações históricas e filológicas. A drenagem da informação operava-se através dos comités de folclore e das inspecções do ensino público. O folclore tradicional é geralmente arcaizante, idealista, arquetípico e conservador no plano político.

No seu *Manuel de folklore français contemporain* (9 volumes de 1938 a 1958), Van Gennep visa destacar a homologia entre ritmos vitais (épocas, idades...) e ritmos sociais (cerimónias de calendário, ritos de passagem). Van Gennep, Varagnac, G. H. Rivière contribuíram de forma importante para a obra dos folcloristas e museólogos (inventários, atlas folclóricos, catálogos), donde saiu o Museu das Artes e Tradições Populares (1937), que J. Cuisenier desenvolveu bastante, na sua qualidade de director. Neste crisol se efectuam os estudos sobre o direito consuetudinário, a dialectologia com cartografia linguística, a literatura regionalista, a música popular, os saberes naturalistas profanos, as crenças locais, os ritos festivos, as atitudes do corpo, etc.

É dada a palavra aos antigos, reencontra-se a beleza dos objectos funcionais de outrora, recria-se uma identidade cultural, recolhem-se objectos artesanais e trajos folclóricos. Provedores da droga de um passado semelhante a um qualquer travesti, os folcloristas procuraram durante muito tempo fixar uma sombra fugidia da história. Mas, no final de contas, por que não? Que etnologia pode funcionar sem um *thesaurus*?

b) *O rural*

O etnólogo tem tido sempre um fraco pelas monografias de sociedades rurais, seja no Terceiro Mundo, onde se colocam os problemas da auto-subsistência, nas economias agrárias tradicionais, cujas relações de produção se fundamentam na idade e no sexo, ou nas sociedades rurais inscritas numa economia de mercado, com salariado e culturas comerciais.

A etnologia francesa está enraizada no rural. Foi de início uma actividade de salvaguarda de testemunhos e de objectos de uma província, agora em plena mutação. A tendência para assimilar a unidade administrativa, a comuna, à unidade social de base, a comunidade, apagou a variedade das situações reais, nas quais existe confusão de pertenças sociais e territoriais. Não há dúvida de que haveria a debater os postulados de coerência, de simplicidade organizacional e de inter-conhecimento da aldeia. Esta está organizado de forma caseira. Há a "memória longa", de que fala F. Zonabend. Mas a ligação ao património de raiz, entre outras, suscita clivagens, como acontece com as pertenças religiosas. Os notáveis desempenham o papel de intermediários entre a colectividade local e as instâncias políticas englobantes. Relativamente a estas, o rural utiliza menos a passividade ou a revolta do que "estratégias de fuga", na expressão de O. de Sardan.

Que se deve entender por rural? As sociedades rurais deixaram de ser sociedades exclusivamente campesinas, atendendo ao número de operários do sector secundário e trabalhadores do terciário domiciliados nas aldeias. A propósito destes, antropólogos e sociólogos trocam as suas competências para tratar de problemas tais como os equilíbrios ecológicos entre recursos e povoamento, as estruturas domésticas e o funcionamento das colectividades locais, os valores camponeses e a adaptação às modificações agrárias, as migrações temporárias e os êxodos definitivos.

c) *O local, o quotidiano e o simbólico*

Em 1951, L. Dumont publicava *La Tarasque*, análise estrutural de uma festa popular em Tarascon. É também do local e do simbólico que tratam os estudos de J. Favret-Saada sobre a bruxaria no bosque normando, de A. Bensa sobre as peregrinações aos santos taumaturgos na antiga província do Perche, de M.-F. Gueusquin e de A.-M. Despringues sobre os carnavais do Norte. F. Loux interessou-se particularmente pela medicina tradicional que protege o corpo das doenças por meio de plantas, minerais e animais. Numerosos artigos tratam também do saber-fazer e dos géneros de vida. Quer se trate de meios urbanos ou rurais, em cada sociedade pode ser observada uma maneira de ser no quotidiano, que se torna assim objecto antropológico. Desta maneira, sob o ângulo da ritualidade profana, interpretaram-se bem tanto os concertos *pop* como os desafios de futebol, a maquilhagem como os desfiles de modas, a praxe dos caloiros como a alimentação nos *fast-food*.

É no local e na vida quotidiana que se inscrevem as pesquisas de Y. Verdier sobre a lavadeira, a costureira e a cozinheira em Minot, na Borgonha, as de G. Ravis-Giordani sobre os pastores corsos do Niolu. O gosto actual pela ecologia não deixa de chamar a atenção para a autenticidade dos homens, dos produtos, das obras e das paisagens, ou sobre o imaginário da mercadoria autêntica. I. Chiva e N. Belmont promoveram e inspiraram numerosas pesquisas sobre os ritos de passagem, as festas e os costumes regionais.

Não discordamos de que a antropologia cognitiva tenha actualmente grande repercussão em França, mas podemos perguntar-nos se ela não terá mais êxito junto dos professores de antropologia que fizeram pouco trabalho de campo e gostam de brincar com as abstracções, do que sobre os investigadores de profissão, qualificados por uma longa experiência e confrontados com a explicação do concreto.

d) *A cidade e a indústria*

Só há cerca de quarenta anos é que a sociedade industrial começou a suscitar o interesse dos etnólogos. Este facto tem de ser posto em correlação com fenómenos tais como a aceleração da urbanização, a multiplicação das subdisciplinas da investigação e o repatriamento de etnólogos, que outrora trabalhavam em campos exóticos e que as novas nações não consideram úteis ou substituíram por autóctones. Além disso, cada vez mais, os poderes públicos respondem aos pedidos das colectividades locais para a salvaguarda dos patrimónios urbanos e regionais. Financiam também estudos para a descoberta dos elementos desviantes ou de insegurança nos novos espaços de coabitação na cidade.

Inicialmente, o movimento de pesquisa urbana partiu dos Estados Unidos, nos anos vinte, com a escola de Chicago, ilustrada entre outros pelos trabalhos monográficos de R. Park, E. Burgess, L. Wirth... Mas em França a antropologia urbana não acompanhou a sociologia urbana senão nos anos setenta, se bem que, desde os anos cinquenta, G. Balandier se tivesse interessado pelos problemas da urbanização africana, na sua obra *Brazzavilles noires*. S. Bernus estuda mais tarde os particularismos étnicos da cidade de Niamei, J.-M. Gibbal alguns bairros de Abijão.

Em França, G. Althabe orientou trabalhos sobre as relações entre famílias operárias nos HLM, bairros de renda económica. J. Monod e C. Pétonnet consagraram pesquisas aos bandos de jovens, no coração do subproletariado das cidades de trânsito. As minorias magrebinas e asiáticas retiveram a atenção de A. Raulin. Outros concentram as suas pesquisas nos grandes conjuntos ou então nas classes médias de artesãos e de comerciantes. São apenas alguns exemplos.

De uma forma mais geral, a antropologia urbana toma por objecto as relações sociais nos locais de coabitação, as historicidades sucessivas da cidade e dos bairros urbanos, as articulações entre locais de trabalho e de residência, as reconstituições de comunidades específicas em certos bairros com segregação de classe, de profissão ou de nacionalidade, a identidade real ou imaginária da cidade, os grupos de fraca amplitude empiricamente reprimíveis. O bairro aparece como um quadro de vida e como um espaço mental de coexistência e de distância.

Apercebemo-nos de que, muitas vezes, as formas de vida na cidade são muito diferentes de um bairro para o outro, que o parentesco e as redes associativas desempenham um papel importante nas relações sociais, embora Wirth tenha considerado as relações urbanas impessoais, superficiais e transitórias. É na cidade que é mais necessário estar ligado a associações, para lutar contra a rapidez das mudanças sociais. Nas zonas urbanas, os migrantes, em penúria relacional, reinventam uma identidade mantendo práticas (alimentação, música, móveis, nomes próprios) tirados do seu meio original, com o qual mantêm os laços. Nas famílias desfavorecidas, há mobilização dos recursos da família e da vizinhança.

Se as pesquisas sobre o mundo da empresa foram iniciadas no quadro de um estudo das relações humanas quando da depressão dos anos trinta, elas progrediram ligando as perspectivas da antropologia às da sociologia, quer pelas análises do trabalho industrial, quer por uma diligência de estudo do *Travail au quotidien* de P.Bouvier, por exemplo, que se interessa pelos ritos e sociabilidade das empresas do mundo ocidental, quer por trabalhos versando sobre a memória operária, sobre a cultura de empresa e sobre as diferenças entre lógicas implícitas dos trabalhadores e a lógica explícita dos gestores. A lógica das relações de trabalho difere também da que existe nas relações de coabitação.

Em rotura com o folclore dos ofícios e técnicas, desenvolveu-se uma antropologia industrial, aplicada à inovação tecnológica e às resistências humanas, proveniente das mentalidades e das tradições. Como cada meio produz uma cultura de empresa com as próprias maneiras de fazer, a sua solidariedade e o seu sentimento de identificação, procurou-se isolar estes fenómenos, sobretudo nos meios siderúrgicos ou carboníferos franceses. A memória dos mineiros da bacia do Creusot em declínio é recuperada por P. Lucas em *La Religion de la vie quotidienne* e em *La Rumeur minière*.

e) *O parentesco*

Há cerca de vinte anos que, seguindo pistas diversas, proliferam os estudos sobre o parentesco.

1) A sexualidade, o desejo, a afectividade, são temas caros aos psicanalistas. Em vez de se polarizar exclusivamente nos problemas do sexo, a crítica feminista nas ciências sociais contribuíu, primeiro nos EUA, e, a partir de certa altura, também em França, para que se insistisse menos nas interacções sexuais e se isolassem sobretudo as diferenças sob o ângulo dos problemas de género: masculino-feminino, induzindo comportamentos específicos.

2) Os desenvolvimentos da genética e da etnobiologia, os estudos sobre as doenças hereditárias, a reflexão ética sobre o estatuto do embrião e as novas técnicas de procriação assistida obrigam a uma revisão dos ditos fundamentos biológicos do parentesco e da família. A procriação artificial cria parentes adicionais, cujo estatuto e lugar respectivos permanecem ainda mal definidos, embora uma ficção jurídica proteja a paz das famílias, em caso de dador de esperma ou de mãe de aluguer.

3) Numa altura em que são postas em causa certas teorias sobre a proibição do incesto, os modelos de casamento na sociedade francesa estudada pelos etno-historiadores, aparecem bem mais variados do que se pensava. Assim, observam-se, nas províncias rurais, casamentos no parentesco difuso, casamentos entre primos coirmãos, consentidos se eles não viverem na mesma comuna, e aumento de casamentos entre as parentelas dos primeiros cônjuges.

4) Sob a influência de uma sociologia empírica da família actual, centrada na família nuclear, aperfeiçoa-se uma abordagem da vida doméstica, sob o ângulo das técnicas do mobiliário, do aquecimento, da cozinha. Com M. Segalen, I. Chiva, F.

Zonabend, coloca-se a tónica na composição da casa, o *habitat* e o habitado, a repartição das tarefas e dos espaços, a organização do trabalho. O estudo das relações entre modo de transmissão dos bens, modo de residência e configuração matrimonial, permite isolar tipos de família-tronco pirenaica, direitos de morgadio, com celibato dos irmãos mais novos, para a transmissão das grandes propriedades do Léon, na Bretanha, etc.

5) Enquanto o interesse pela genealogia e pela pesquisa de um passado familiar suscita um amor da história que vai até à paixão etnográfica, a etno-história debruça-se sobre o problema dos parentescos paralelos, ditos também fictícios ou artificiais, tais como: a) as irmandades de sangue, ritualizadas pela tatuagem, comunhão alimentar, implicando pacto de amizade, protecção, auxílio mútuo; b) a adopção, que revela o carácter eminentemente social do laço de filiação. Se a criança deve trabalho e respeito aos seus pais adoptivos, obtém deles a alimentação, o alojamento, a manutenção e os mesmos cuidados que um filho verdadeiro, à semelhança do que se passava no mundo romano, descrito por Cícero; c) o *fosterage*, isto é, a criação e educação dos filhos fora da sua família de origem, caso frequente em África, brilhantemente estudado por S. Lallemand nas suas obras sobre *La circulation des enfants ou Adoption et mariage*.

6) À história do parentesco e da família na Europa ocidental (Goody, Zonabend), foram consagradas numerosas pesquisas recentes, incidindo sobre o casamento cristão e o parentesco espiritual (outra forma de parentesco paralelo). No século XII, o casamento torna-se sacramento; é declarado indissolúvel. O concubinato é proibido, e desaconselhado o recasamento das viúvas. Aos preceitos de exogamia e de monogamia, acrescentam-se fortes incitamentos ao consentimento mútuo dos esposos. Quando o casamento nas famílias ricas começa a visar a transmissão do património, a aristocracia entra em competição com o clero pelo controlo das terras e pratica o dote (*dos*), como prenda de esponsais para indemnizar a rapariga. Mas o clero, mestre da escritura e das leis, distingue então as núpcias, que acentuam

o aspecto carnal, dos esponsais, com conotações espirituais. Um parentesco espiritual fundamenta-se no ritual do baptismo e na metáfora da filiação, embora a Igreja proíba o parentesco fictício da adopção. Desde o século VIII, com a instituição do padrinho e da madrinha, o compadrio do baptismo instaura uma forma de adopção e de filiação baptismal, à imagem do casal de pais naturais. A partir do ano 550, o imperador Justiniano tinha proibido o casamento entre padrinho e afilhada. Nascida duas vezes pelos seus pais genitores e pelos pais simbólicos do baptismo, a criança torna-se portanto afilhada de protectores benevolentes, num parentesco figurado. Quanto aos padrinho e madrinha, podem, como actualmente na América latina, estabelecer uma relação de parentesco fictício bastante estreito (a relação de *compadrio*), implicando responsabilidade conjunta a respeito do seu afilhado, que entra na comunidade cristã, mas também relativa familiaridade entre eles.

CONCLUSÃO GERAL

Até agora, a minha exposição tem sido, sobretudo, feita de asserções com um objectivo pedagógico. No decorrer do texto, o leitor não terá deixado de se pôr algumas questões, como as que vão seguir-se, às quais penso que não se pode responder de forma peremptória. A discussão fica em aberto. A sua apreciação depende dos casos, de opções em parte afectivas e ideológicas.
- Uma vez que a antropologia recorda às pessoas aquilo que elas são, não poderá acontecer que, ao falar dos outros, ela chegue a produzir distorções tais que já não se consigam captar os reais pontos de vista e as aspirações das populações estudadas, mas somente os discursos envolventes dos investigadores?
- Uma certa tendência museográfica e folclórica da pesquisa poderá justificar-se pelo sentimento de urgência da recolha?
- A antropologia deverá assumir o papel de crítica política das condições da sua produção? Deverá considerar-se distorcida pelo facto de ter nascido num contexto colonial?
- O compromisso ideológico será garantia de validação de um saber?
- Como houve utilizações políticas coloniais da antropologia, existem reivindicações culturais actuais que se apoiam nos dados da nossa disciplina, com um objectivo político de emancipação e de reconstrução de identidade. Assim, *La Géomancie*

à *l'ancienne côte des esclaves*, de B. Maupoil, é utilizada por adivinhos tradicionais no Benim e no Brasil, via alguns letrados, para recordar elementos do ritual de significados por vezes perdidos. Deverá o antropólogo envergonhar-se pelo facto de fornecer, conscientemente ou não, o alibi de uma reinvenção ou de um ressurgimento das tradições?
• Face à ordem social, não se poderá escapar à alternativa da sua crítica ou da sua validação?

Tudo está nas gradações. Os que querem cortar a golpes de machado arriscam-se a ferir-se a si próprios. Antes de conseguirem responder com alguma pertinência a todas estas questões delicadas, o importante é adquirir uma competência através de numerosas leituras, depois de ter percorrido esta introdução. A leitura não dispensa ser partidário de um ensino sólido, preciso, rigoroso e de qualidade.

Enquanto alguns deploram a crise da etnologia, porque os campos mudam e se criam novas problemáticas, que empurram as antigas, prefiro ser optimista ao analisar estas mutações como uma sorte, na medida em que a juventude da disciplina, dos seus métodos, técnicas de pesquisa e campos de aplicação, abre um campo enorme ao investigador, sobretudo se ele concordar em trabalhar em interdisciplinaridade, como acontece especialmente no quadro dos gabinetes de cooperação e de desenvolvimento. É necessário ao antropólogo ter a audácia de propor projectos e de os levar até ao fim com competência. Quanto mais elevadas forem as suas leituras, o seu saber e as suas aquisições universitárias, tanto mais aberturas profissionais encontrará, livre para se reconverter parcialmente ao intercultural, ao estudo das minorias com problemas, ao *marketing* ou à imprensa.

O importante é não se contentar com estudos teóricos, mas entregar-se a estudos empíricos, que qualificam verdadeiramente o antropólogo como investigador de campo.

Entretanto, todo aquele que teve a coragem de ler esta obra até ao fim ficou a possuir uma bagagem de conceitos, de teorias e de métodos de que poderá tirar partido durante toda a sua vida.

BIBLIOGRAFIA

Esta bibliografia não exaustiva reúne, por ordem de importância e na ordem dos capítulos, as obras mais interessantes para os leitores.

BONTE, Pierre, IZARD, Michel (org.), *Dictionnaire de l'ethnologie et de l'anthropologie*, Paris, PUF, 1991.
POIRIER, Jean (org.), *Ethnologie générale*, Paris, Gallimard, 1968, Pléiade.
LABURTHE-TOLRA, Philippe e WARNIER, Jean-Pierre, *Ethnologie*, Paris, PUF, 1993.
BERNARD, Russell, *Research Methods in Cultural Anthropology*, Londres, Sage, 1988.

MERCIER, Paul, *Histoire de l'anthropologie*, Paris, PUF, 1966.
LOMBARD, Jacques, *Introduction à l'ethnologie*, Paris, Armand Colin, 1994.
DELIEGE, Robert, *Anthropologie sociale et culturelle*, Bruxelas, De Boeck, 1992.

AUGÉ, Marc (org.), *Les Domaines de la parenté*, Paris, Maspéro, 1975.
ZIMMERMAN, Francis, *Enquête sur la parenté*, Paris, PUF, 1993.
FOX, Robin, *Anthropologie de la parenté*, Paris, Gallimard, 1972.

BALANDIER, Georges, *Anthropologie politique*, Paris, PUF, 1971.
LEWELLEN, Ted, *Political Anthropology, an Introduction*, Richmond, Bergin, 1992.
ABÉLÈS, Marc, *Anthropologie de l'État*, Paris, Armand Colin, 1990.

GODELIER, Maurice, *Un domaine contesté: l'anthropologie économique*, Paris, Mouton, 1984.
POUILLON, François (org.), *L'Anthropologie économique*, Paris, Maspéro, 1976.

PANDIAN, Jacob, *Culture, Religion and the sacred Self*, Englewood Cliffs, N.S., Prentice Hall, 1991.
MIDDLETON, John, *Anthropologie religieuse*, les dieux et les rites, Paris, Larousse, 1974.
AUGÉ, Marc (org.), *La Construction du monde*, Paris, Maspéro, 1974.

ALTHABE, Gérard (org.), *Vers une ethnologie du présent*, Paris, PSH, 1992.
CHIVA, Isac (org.), *Ethnologies en miroir. La France et les pays de langue allemande*, Paris, MSH, 1987.
WHITTEN, Phillip, HUNTER, David, *Anthropology Contemporary Perspectives*, Glasgow, Harper & Collins, 1992.

Livros de Antropologia de autores citados, publicados na col. "Perspectivas do Homem" de Edições 70

AUGÉ, Marc – *A Construção do Mundo* – n° 1
AUGÉ, Marc (dir.) – *Os Domínios do Parentesco* – n° 2
CLASTRES, Pierre, et. al – *Guerra, Religião, Poder* – n° 11
COPANS, Jean, et. al – *Antropologia, Ciência das Sociedades Primitivas* – n° 13
COPANS, Jean – *Críticas e Políticas da Antropologia* – n° 15
DOUGLAS, Mary – *Pureza e Perigo* – n° 39
ELIADE, Mircea – *Aspectos do Mito* – n° 19
ELIADE, Mircea – *O Mito do Eterno Retorno* – n° 5
ELIADE, Mircea – *Mitos, Sonhos e Mistérios* – n° 32
ELIADE, Mircea – *Origens* – n° 34
EVANS-PRITCHARD, E. – *Antropologia Social* – n° 3
EVANS-PRITCHARD, E. – *História do Pensamento Antropológico* – n° 33
GODELIER, Maurice – *Horizontes da Antropologia* – n° 14
GOODY, Jack – *A Lógica da Escrita e a Organização da Sociedade* – n° 28
KROEBER, A. L. – *A Natureza da Cultura* – n° 44
LEACH, Edmund – *Cultura e Comunicação* – n° 42
LEACH, Edmund – *A Diversidade da Antropologia* – n° 35
LEROI-GOURHAN, André – *Evolução e Técnicas*, Vol. I – *O Homem e a Matéria* – n° 20
LEROI-GOURHAN, André – *Evolução e Técnicas*, Vol. II – *Meio e Técnicas* – n° 21
LEROI-GOURHAN, André – *O Gesto e a Palavra*, Vol. I – *Técnica e Linguagem* – n° 16
LEROI-GOURHAN, André – *O Gesto e a Palavra*, Vol. II – *A Memória e os Ritmos* – n° 18
LEROI-GOURHAN, André – *As Religiões da Pré-História* – n° 17
LÉVI-STRAUSS, Claude – *Mito e Significado* – n° 8
LÉVI-STRAUSS, Claude – *A Oleira Ciumenta* – n° 27
LÉVI-STRAUSS, Claude – *O Olhar Distanciado* – n° 24
LÉVI-STRAUSS, Claude – *O Totemismo Hoje* – n° 26
MALINOWSKI, Bronislaw – *Magia, Ciência e Religião* – n° 30
MALINOWSKI, Bronislaw – *Uma Teoria Científica da Cultura* – n° 47
MAUSS, Marcel – *Ensaio sobre a Dádiva* – n° 29
OTTO, Rudolf – *O Sagrado* – n° 41
POUILLON, François (dir.) – *Antropologia Económica* – n° 4
RADCLIFFE-BROWN, A. – *Estrutura e Função nas sociedades Primitivas* – n° 36
VERNANT, Jean-Pierre, VEYNE, Paul, et. al – *Indivíduo e Poder* – n° 31

Ainda nas Edições 70:

LÉVI-STRAUSS, Claude – *Tristes Trópicos*
DUBY, Georges, et. al – *A Nova História*
DUBY, Georges – *O Ano Mil*
DUBY, Georges – *Economia Rural e Vida no Campo no Ocidente Medieval* (2 vols.)
DUBY, Georges, et. al – *Ensaios de Ego-História*
LEROY-LADURIE, Emanuel – *Montaillou - Uma Aldeia Ocitana (1294-1324)*
VEYNE, Paul – *Como se Escreve a História*
VEYNE, Paul – *Acreditaram os Gregos nos seus Mitos?*
VEYNE, Paul – *A Sociedade Romana*
VIDAL-NAQUET, Pierre, AUSTIN, Michel – *Economia e Sociedade na Grécia Antiga*

ÍNDICE

Advertência. 9

Capítulo 1: Conceitos e métodos da antropologia 11
   I - Conceitos fundamentais. 12
      a) O outro 12
      b) O etnocentrismo 13
      c) A etnia. 14
      d) Etnologia e antropologia 15
      e) Objecto e atitude da antropologia 16
   II - Relações entre disciplinas afins 18
      a) Antropologia e sociologia 18
      b) Antropologia e história 20
      c) Rumo a uma etno-linguística 22
      d) Outras afinidades e especializações 23
   III - A arte e o método 24
      a) A aventura etnológica no terreno 24
      b) A observação participante 26
      c) O inquérito por informadores 27
      d) A interpretação dos resultados. 30
      e) A monografia 31

Capítulo 2: As correntes fundamentais do pensamento etnológico. 33
Introdução: O passado remoto da etnologia 33
   I - O evolucionismo 35
     a) Bases ideológicas 35
     b) Autores 36
     c) Críticas 38
   II - O difusionismo 38
     a) A geografia correctora da história 38
     b) Franz Boas (1858-1942) 41
   III - O culturalismo 42
     a) Ralph Linton (1893-1953) 43
     b) Abraham Kardiner (1891-1981) 44
     c) Ruth Benedict (1887-1948) 45
     d) Margaret Mead (1901-1978) 45
     e) Críticas 46
   IV - Tendências da etnologia francesa 47
     a) Os sistemas de pensamento 47
     b) A corrente dinamista 49
     c) A corrente marxista 50
   V - O funcionalismo 51
     a) Os termos 51
     b) Os representantes 52
     c) Críticas 54
   VI - O estruturalismo 55
     a) O estruturo-funcionalismo anglo-saxónico 55
     b) A antropologia estrutural de Lévi-Strauss 56
     c) Vulnerabilidade do estruturalismo 57
   VII - O domínio norte-americano actual 58

Capítulo 3: Antropologia do parentesco 61
   I - Introdução 61
     a) Historial da questão 61
     b) O parentesco como laço 63
   II - A filiação 64

a) *Sistemas de filiação* 64
   b) *Grupos de parentesco*. 67
   c) *Filiação e afiliação* 69
III - A aliança matrimonial 70
   a) *Definição* 70
   b) *A escolha do cônjuge* 70
   c) *Formas de troca* 71
   d) *Casos particulares de casamento*. 73
   e) *A sexualidade periconjugal* 74
   f) *A proibição do incesto* 75
   g) *A família* 77
   h) *A poligamia* 78
IV - A terminologia do parentesco 79
   a) *Distinções essenciais* 79
   b) *Critérios das nomenclaturas* 81
   c) *Parentela e genealogia* 82
V - A residência 82
VI - As atitudes entre parentes e aliados 84
VII - A herança e o poder 85
VIII - Conclusão: Dinâmica do parentesco 87

Capítulo 4: Antropologia económica 89
I - Resumo histórico 89
II - A ecologia. 92
III - A tecnologia cultural 93
IV - Modos, formas, relações de produção. 95
   a) *Produção* 95
   b) *Fenómeno social total* 97
   c) *Raridade* 98
   d) *Trabalho* 98
   e) *Propriedade* 100
V - Troca e circulação dos bens e serviços. 100
   a) *Dádiva* 101
   b) *Troca*. 102
   c) *Comércio*. 102

INTRODUÇÃO À ANTROPOLOGIA

    d) Moeda 104
    e) Mercado 105
  VI - Consumo 105
  VII - Alguns tipos de economia 107
    a) Caçadores-recolectores 107
    b) Agricultores 109
    c) Pastores-criadores 110
  VIII - Conclusão 111

Capítulo 5: Antropologia política 113
  I - A emergência de conceitos-chave 114
    a) Breve historial 114
    b) Semântica em volta do poder 117
  II - Aderências do poder fora da política 119
    a) Laços de parentesco 119
    b) Um poder sacralizado 121
    c) O prestígio pela economia 123
    d) O fundamento estratificado da política ... 125
  III - Alguns tipos de organização política 128
    a) O bando com governo mínimo 128
    b) As sociedades com poder difuso 129
    c) A chefatura 131
    d) O Estado 133
  IV - Dinâmicas modernas 135
  V - Conclusão 137

Capítulo 6: Antropologia religiosa 139
Introdução histórica 139
  I - A religião e o sagrado: limites de um domínio .. 140
    a) Definição do campo da antropologia religiosa .. 140
    b) Rectificação de preconceitos 142
    c) O sentido do sagrado 143
  II - Magia, xamanismo e feitiçaria 144
    a) Magia 144
    b) Xamanismo 146

    c) Feitiçaria 146
III - Acreditar em mitos 148
    a) Representações colectivas metafóricas 148
    b) A análise estrutural dos mitos 149
    c) Protagonistas do mito 150
    d) As almas como princípios vitais 151
    e) As noções-feitiços de Durkheim 152
IV - Praticar ritos 154
    a) Definições e distinções 154
    b) Exemplos e funções 156
    c) Dos cultos ancestrais aos cultos sincréticos 157
    d) Sinais: possessão e adivinhação 160
V - Os dinamismos religiosos contemporâneos 163

Capítulo 7: Um olhar sobre a antropologia contemporânea 165
    I - Antropologias de cores nacionais 166
        a) Antropologia norte-americana 166
        b) Antropologia britânica 168
        c) Antropologia neerlandesa, belga e suíça 168
        d) Antropologia alemã 169
        e) Antropologia francesa 169
    II - A antropologia da França 173
        a) O folclore 173
        b) O rural 174
        c) O local, o quotidiano e o simbólico 174
        d) A cidade e a indústria 175
        e) O parentesco 178

Conclusão geral 181

Bibliografia 183

Livros de Antropologia de autores citados, publicados na col. Perpectivas do Homem de Edições 70 184

lepmeditores
www.lpm.com.br
o site que conta tudo

IMPRESSÃO:

PALLOTTI
GRÁFICA

Santa Maria - RS | Fone: (55) 3220.4500
www.graficapallotti.com.br